KB075971

나의 마음을 비추는 시간

나에게 보내는 초대 편지

나의 마음을 비추는 시간

나에게 보내는 초대 편지

도경연, 황민아, 박지영, 이은혜, 이승현, 오주현 지음

CONTENT

프롤로그 - 나에게 보내는 초대 편지

일기를 써본 지 얼마나 되셨나요? 다른 사람 신경 쓰느라 정작 자신을 챙기지 못하지는 않았나요?

요즘 유행하는 MBTI를 하다 보면 어떤 부분은 맞는 것 같고, 어떤 부분은 이런 면이 있었나 돌이켜 보게 됩니다. 나를 잘 안다고 생각하지만 내 마음을 모를 때가 있습니다. 저 또한 여러 심리 테스트에 심취했던 적이 있었습니다. 자신을 잘 알면 어떻게 살아야 할지 알 수 있을 거로 생각했기 때문입니다.

하지만 여러 가지 관계 속에서 다양한 역할을 수행하며, 여러 모습의 나를 만납니다. 이런 다양한 모습과 수많은 시간을 몇 줄로 정리하기에는 어려웠습니다. 그래서 그 누군가가 나를 설명해 주는 것이 아닌 스스로 돌아보는 시간을 갖고 싶었습니다.

우리는 주로 일이 잘 안 풀리거나, 뜻대로 되지 않을 때 자신을 많이 돌아보게 됩니다, 하지만 상황이 좋지 않을 때 자기 모습을 바라보면 한없이 초라하고, 부족한 모습뿐입니다. 저 역시 그랬습니다.

편안한 시간에 조용히 나의 좋아하는 점 싫어하는 점, 두려웠던 것, 잘하고 싶었던 것들을 돌아보고 싶었습니다. 이런 이야기를 누군가에게 얘기하기에는 무겁고 어렵습니다. 어디서부터 얘기해야 할지 갈피 잡기 어렵지요. 그래서 그 누구도 아닌 나에게 보내는 편지 속에서 털어놓자고 마음먹었습니다. 이 역시 처음에는 어떤 말부터 얘기해야 할지 정리되지 않고, 지나간 추억들만 스쳐 지나갔습니다. 하지만 펜을 움직여서 한 글자 한 글자 적다 보면 그 속에 새로운 나를 발견하게 되었습니다.

마흔을 바라보는 나에게도 그동안 몰랐던 내가 있었습니다. 스스로에 대해 깊이 생각해 보지 않았던 나에게 금요일 밤은 오롯이 자신과 만나는 시간입니다. 열두 통의 편지를 쓰는 동안 여러 모습의 나를 만나 보듬었습니다. 잊고 있었던 나의 소중함을 발견하여, 그 힘으로 앞으로 나아갈 힘을 얻었습니다. 이 글을 읽고 있는 당신과 비슷한 나를 만나게 되길, 당신을 돌아보는 시간을 갖기를 바라며 편지를 마칩니다.

좀 기다려주자

도경연

도경연(도레미) @trekqueen_doremi

'6대륙 여행자', '명산 100 완주자'로 '궁금하면 일단 시도하는 사람' 입니다. 저의 경험이 각자의 인생 모험을 시작하는데 용기를 실어드리고 싶습니다. 밝은 에너지와 고요한 에너지 둘 다 가지고 있는 매력을 지니고 있어요. 안과 밖 모두 호기심이 많아 글을 쓰고 있답니다. 삶의 여행은 아직 궁금한 것이 많아 방황하는 중이랍니다.

인생을 산다는 것은 이런 것일까?

오르고 내리고, 숨 쉬고 느끼는 것.

산다는 것, 죽는다는 것

지금 숨 쉬고 있는 나에게

안녕! 도레미. 이렇게 나에게 편지를 쓸 수 있다는 건 살아 있다는 거지?

나는 산다고 하면 죽음이 먼저 떠오르더라. 왜일까? '살다'의 반대인 '죽는다'라는 어휘가 떠올라서인 것 같아. 죽음을 생각하면 지금 살아있음에 감사하게 되더라고. 그래서 현재를 잘 살고 싶다는 생각이 들어.

'잘 산다는 것은 뭘까?' 참 쉽지 않은 질문 같아. 사람이 다 다르듯 각자 기준이 다르잖아. 난 후회 없이 살고 싶은 사람이라 무언가 하는 것을 좋아해. 호기심이 많은 걸까? 궁금한 것이 생기고 '하고 싶다. 해보고 싶다.' 라는 느낌이 들면 도전하지. 직접 자신이 겪어보지 않으면 알 수 없다고, 누군가에게는 잘 맞더라도 나한테는 별로일 수도 있잖아. 그래서 거기까지 가는 경험이 아프고, 힘들고, 슬프더라도 해보는 것 같아.

가끔 무리해서 몸의 소리를 못 듣고 건강이 망가질 때가 있어. 이건 주의하자. 건강을 해치면 아무것도 할 수 없는 거 알잖아. 이제 경험도 좋지만, 쉬는 시간도 꼭 챙기자.

모든 일들이 뜻대로 되지 않지만 많은 것을 배우는 것 같아. 살아 있다는 것은 계속 삶을 알아가고 성장해 나가는 게 아닐까 싶어. 살아 있기에 오르락내리락 하는 그래프 같이 기쁨도 슬픔도 느끼는 거니까. 살아있다는 것은 롤러코스터를 타는 것 같아. 올라갔다가 훅 떨어지고 다시 올라가지.

내가 그렇게 자연을 찾아다니고, 산을 만난 것은 살아있음 그 생동감이 좋아서 인 것 같아. 새소리, 물소리, 바람 소리, 산도 계속 변하잖아. 계절별로 꽃도 다르게 피고 말이야. 살아있으면 달라진 것을 직접 느낄 수 있어. 이것이 행복이겠지? 산을 오를 때는 헉헉거리며 힘들어하는데 막상 정상에 올라 풍광을 보면 가슴이 뻥 뚫려. 성취감도 들고. 사실 머리가 잠시 꺼져서 좋아. 하산할 때 못 봤던 풍경도 눈에 들어오고 말이지.

인생을 산다는 것은 이런 것일까?
오르고 내리고, 숨 쉬고 느끼는 것.

2023년 6월 9일

수술한 그해 '언제 어디서 어떻게 죽을지도 모른다.' 라는 생각에 두렵기보다 용기 내 하고 싶은 것을 도전했어. 밟아보지 못했던 6 대륙 세계 여행을 마칠 수 있었어. 수술 후 못 가본 오세아니아, 아프리카, 남미 대륙을 포함해 가봤지. 지금 돌아보면 마음먹은 것을 행동으로 실천한 내가 참 자랑스러워.

지금을 지탱해 주는 시간

자랑스러운 나에게 최선을 다했던 너니까

자랑스럽다? 자랑하고 싶은 것과 느낌이 좀 다르네. 자랑하고 싶은 것은 남에게 좀 있어 보이고 싶거나 칭찬이 받고 싶을 때 말하는 것 같아. 오늘은 나 자신에게 칭찬해 주고 싶은 것을 써보자. 나를 자랑스럽다고 할 수 있는 사건이 하나 있어. 내 인생의 가장 큰 사건이지. '갑상선 암'에 걸려 수술받은 일 말이야.

스물여덟 살, 종합 건강검진을 통해 우연히 알게 되었지. 의사 선생님은 갑상선 혹이 1cm 가 넘어 암으로 의심된다며 큰 병원을 가보라고 하셨어. 그 결과를 믿을 수 없었지. 큰 병원 두 군데에서 검사를 더 받아보았어. 암이 맞았고 열어봐야 알겠지만, 갑상선 두 개 모두 뗄 수도 있다고 하셨어.

'아니 이게 무슨 청천벽력 같은 일이지? 이십 대 암이라니……'
너무나 충격적이고 허탈했어. 혼자 하염없이 밖에서 눈물을 흘릴
수밖에 없었어. 집에서는 괜찮은 척했어. 엄마는 내가 병원에
다니는지 모르셨거든. 아픈 티를 내거나, 울지 않았어.
엄마한테는 수술 날짜가 잡힐 때까지 차마 말씀드리지
못하겠더라. 엄마가 너무나 걱정하실 모습이 눈에 선했거든.

퇴사를 앞두고 마지막 업무인 지방 행사를 준비하느라 시간은 눈코 뜰 새 없이 빠르게 흘러갔어. 친구에게 위로 받으며 수술 날짜를 기다렸지. 다행히 걱정과 다르게 갑상선 한쪽만 떼는 반절제 수술로 잘 마칠 수 있었어.

한 달간 목소리가 안 나와 '이대로 말을 못 하는 것은 아닐까?' 걱정하는 시간도 보냈어. 이때 머리를 끄고 가슴 뛰는 것만 하기로 마음먹었지. 보고 있으면 웃음이 나고 행복한 것만 찾아서 했어. 좋아하던 팬클럽에 가입해 활동하고, 틈틈이 적어 두었던 버킷리스트를 꺼냈어. 여행 기간이 길어야만 갈 수 있는 나라들이 남아있더라. 항공권 예매 앱에 들어가 출입국 날짜를 정하고 바로 비행기표를 끊었어.

수술한 그해 '언제 어디서 어떻게 죽을지도 모른다.'라는 생각에 두렵기보다 용기 내 하고 싶은 것을 도전했어. '돈을 벌어야 하니까, 정규직인 직장이니까 버텨야지, 내 앞길은 내가 챙겨야지.' 온갖 변명을 하며 미루었던 일 말이야. 아무도 잘했다고 하지 않더라도 입 밖에 꺼내는 것만으로 심장이 두근거렸던 세계여행 하기로 했어.

이미 다녀온 3 대륙을 빼고 죽기 전에 꼭 가보고 싶은 곳을 계획에 넣었어. 더 미룰 수 없었지. 뉴질랜드의 광활한 자연을 보며 걷고 싶었어. 에티오피아 화산 용암 사진을 보고, 끓어오르는 빨간 빛을 직접 보고 싶었어. 나의 마음 같았거든. 그리고 26 시간 비행시간이 걸리는 멀고 먼 남미 대륙, 마추픽추, 우유니 사막, 파타코니아, 모레노 빙하 등 하고 싶은 것이 제일 많은 곳이었어.

밟아보지 못했던 6 대륙 세계 여행을 마칠 수 있었어. 수술 후 못 가본 오세아니아, 아프리카, 남미 대륙을 포함해 가봤지. 지금 돌아보면 마음먹은 것을 행동으로 실천한 내가 참 자랑스러워.

당시 주위에서 '갑상선암은 착한 암인데, 이제 쉴 만큼 쉬지 않았어? 일해서 돈 벌어야지.' 등 조언을 가장한 상처 되는 말을 많이 들었지. 그러나 난 그 당시 선택을 후회하지 않아. 그때는 그것이 나에게 최선이었기 때문이야.

오로지 나 자신을 위하여 시간을 보내고
해야 하는 것 대신 마음의 소리에 따라 움직였어.
그 시간이 지금을 지탱해 주고 있어.
'고마워! 네가 참 대단하고, 자랑스러워!'

2023년 6월 16일

날 걱정해 주는 사람, 아껴주는 사람 나는 너무나도 큰 사랑을 받고 있더라! 이렇게 연결된 많은 사람이 나를 다시 일어나게 해줬어.

연결된 일상

일상의 충만함을 느낄 때 행복한 나에게

행복했던 기억들이 머릿속을 스쳐 지나가네. 오랜만에 일상의 소중함을 느낀 날이었어. 어디 멀리 떠나거나, 숲을 찾아 등산하고, 성취감을 느껴야 행복인 줄 알았어. '한국이 아닌 저 먼 타국, 외국에 내 행복이 있지 않을까?' 생각했지.

갑자기 생각이 났어. 오늘 맛있는 수플레 팬케이크를 먹으며 얘기하는데 나도 모르게 웃음이 나더라. 이렇게 독립해서 이사와 혼자 사는 동네에서 평일 점심을 같이 먹고, 차를 마시고 이야기 나눌 상대가 있다니 문득 너무 감사한 거야. 요즘 여러 가지 일로 아프고, 울었던 기억과 다르게 이 순간이 너무나 소중하다는 걸 깨달았어.

누군가 내 이야기를 진심으로 들어주고 이해 받는 느낌이 행복하더라. 힘들고 아팠던 것들이 지나갈 거라는 걸 이제는 알아. 지금 행복한 것도 지나가겠지? 그래도 난 이제 무엇을 할 때 충만함을 느끼는지 편안한지 언제 웃음이 나는지 알아서 좋아.

어떤 슬픔이 날 압도해도 다시 일어날 수 있다는 걸 알아.

날 걱정해 주는 사람, 아껴주는 사람 나는 너무나도 큰 사랑을 받고 있더라! 이렇게 연결된 많은 사람이 나를 다시 일어나게 해줬어. 그분들이 행복하면 좋겠어. 아픔이 있어도 잘 지나갈 거라고 옆에서 지켜주고 응원해 주는 사람이 되고 싶어.

난 지금, 이 순간 현재에 감사하기로 했어.
내가 보는 하늘, 땅, 공간, 사람들 모두에게 고마워.
나와 함께 해줘서.

2023 년 6 월 23 일

나에게 자유란 떠나고 싶을 때 떠나는 건데 한편으로는 소유할수록 더 어려운 것이 아닌가 싶어. 소유에서 오는 행복감과 안정감이 있겠지? 양립할 수 없을 것 같은 자유와 소유의 균형을 잡기가 어렵다.

너의 선택을 믿어

떠나고 싶을 때 떠나지 못할까 봐 두려운 나에게

요즘 삶에 대한 고민이 많지? 네 나이 또래 친구는 결혼도 하고 아이도 낳고 집도 샀더라. 나도 모르게 비교하고 있더라고. 나이가 들수록 선택에 대한 책임이 커지네. 어릴 때 몰랐던 것을 이제는 알게 되면서 다시 예전으로 돌아갈 수 없는 나 자신을 느껴. 기본적으로 의·식·주가 중요하다고 들었지. 독립한 이후 어른으로 살려면 해야 할 일이 많다는 걸 몸소 겪었어. 당연히 여겼던 것이 엄마의 희생과 사랑으로 이루어진 거였어. 사소한 샴푸부터 청소, 빨래, 음식 모든 것이 엄마의 손길이 닿아있더라.

공간에서 오는 소중한 감정도 느끼고 있어. 온전히 혼자만의 시간을 보낼 수 있는 것, 하고 싶은 것을 내 마음대로 할 수 있는 자유로움은 놓치고 싶지 않아. 자신에게 집중하고 책을 읽고 글을 쓰고 휴대폰을 하는 시간 모두 소중해.

이런 나만의 공간을 지키기 위해서는 돈을 벌어야겠다는 생각까지 했잖아. 혼자여서 가끔 외로울 때도 있지만, 아직은 자유가 더 큰 가치로 다가오네.

자유를 지키려면 그에 따라 책임도 져야겠지? 나를 책임지는 삶은 뭘까? 자본주의 사회에 가치 교환 수단이 돈이잖아. '좋고 나쁘고'가 아니라 '꼭 필요한 것'. 생존과 연결되어 있지. 나를 책임지며 살아가기 위해서는 돈을 벌어야 하지. 현재 돈을 벌기 위해 최적의 방법은 취업하는 거더라. 일해서 돈을 번다는 것은 매우 중요한 것이었어.

일이 나에게는 너무 소중해. 자아실현 욕구가 큰 탓일까? 죽을 때까지 의미 있는 일을 하며 살고 싶어. 보람을 느끼며 돈을 벌고 싶은 게 크네. 돈만을 벌기 위해 일하는 거 말고, 누군가에게 도움이 되는 일을 하고 싶어. 내 일의 소명은 '나는 사람들에게 낯설고 새로운 것을 시작하도록 돕는다.'야. 주위를 둘러보니 새로운 것에 흥미롭다 생각하지만, 막상 실행하려고 하면 두려워하거나 망설이더라고. 행동하는 내 모습을 보고 자극이 되었으면 좋겠어. 망설이는 사람이 있다면 시작을 돕고 싶어. 해봐야 알 수 있는 것이 많거든.

나에게 자유란 떠나고 싶을 때 떠나는 건데 한편으로는 소유할수록 더 어려운 것이 아닌가 싶어. 소유에서 오는 행복감과 안정감이 있겠지? 양립할 수 없을 것 같은 자유와 소유의 균형을 잡기가 어렵다. 안정감과 자유 모두 중요한데 말이야. 현재 기준으로는 자유를 택하고 싶어. 난 아직 좀 더 다양한 경험을 하고 싶나 봐. 소유를 택했을 때 기회비용을 생각하면, 소유에 드는 비용에 드는 시간과 에너지를 경험에 더 쓰고 싶어. 나이를 먹어 가면서 또 바뀔 수도 있겠지. 살면서 계속 맞춰 나가보자.

떠나도, 머물러도 괜찮아! 너의 선택을 믿어.

2023년 6월 30일

‘이 길이 맞나?’ 의심하면서도 꿋꿋이 걷던 나에게

정말 고마워.

설렘과 두려움

지금도 생각하면 설레는 나에게

오늘은 설렘이라는 감정을 꺼내고 싶어. 아무리 생각해도 내 인생에서 빼놓을 수 없는 것이 여행이야. 그중에서도 제일 설렜던 여행은 남미의 칠레와 아르헨티나에 있는 파타고니아 트레킹이야.

대자연을 볼 수 있지만 가기 힘든 곳으로 유명하지. 남미까지 가는데 비행기로 최소 24 시간에서 28 시간까지 걸리니 가는 것부터 쉽지 않아. 좁은 좌석에 앉아 먹고 자도 계속 하늘에 떠 있더라구. 빨리 땅을 밟고 싶었어. 그렇게 고생해서 도착한 파타고니아는 광활한 삼각형 모양의 산맥과 흰색의 눈 그리고 에메랄드빛 호수를 함께 볼 수 있는 곳이지. 산장이나 캠핑할 곳을 예약하지 않으면 들어갈 수도 없거든. 난 되게 운이 좋았어. 인터넷으로 확인했을 때는 이미 예약이 꽉 차 있던 상태라 사실

트레킹을 할 수 있을지 없을지 가봐야 알 수 있는 거였어. 무슨 배짱인지 현장에 직접 가면 분명 한 자리는 취소 자리가 있을 거라 믿었어.

'가서 확인해 보자. 한 사람은 취소하리라!' 씩씩하게 출발했지. 이동할 때 국내선 비행기를 타야 하는 시기를 넉넉히 잡아 예약했지. 표를 예매할 때 제일 설레더라. 머릿속은 이미 그림을 그리고 있지. 광활한 자연 풍광, 색, 냄새, 사람들 모든 꿈을 그리지.

설레는 마음으로 칠레의 작은 마을 푸에르토 나탈레스에 도착했어. 여행 중간 틈틈이 어떻게 현지에서 파타고니아에 갈 수 있는지 계속 찾아봤어. 부족한 정보였지만 여행사 이름을 알아냈고, 구글맵을 통해 여행사를 찾았어. 운이 억세게 좋게, 2 일 뒤 트레킹 코스를 잡을 수 있었어.

난 겁이 없나 봐. 안되면 어쩌려고 무턱대고 갔는지. 지금은 옛날의 내 용기에 박수를 보내고 싶어. 생각이 많으면 오히려 실행하기 어려운데 그 환경에 나를 데려다 놓으면 하게 되더라고. 아마 안됐더라도 또 다른 경험을 하고 돌아왔겠지?

날씨 운이 좋았어. 비가 하루만 왔거든. 정말 맑은 날들의 연속이었어. 옥색 빛의 호수 색과 정말 고래 색같이 진한 파란 물색을 동시에 볼 수 있는 곳이 있었거든. 사실 무릎이 아프고, 발에 불이 나도 그 모습을 보면서 걷다 보면 어느새 산장에 도착해 있었어.

모든 것이 낯설고 새로웠으니까. 처음 가보는 나라, 도시, 언어, 사람들 설레면서도 두려웠던 상황들. 발에 물집이 잡혀 절뚝거리며 혼자서 끝까지 트레킹을 마친 나 자신이 대견스럽네. 가는 길에 내 앞뒤에 걷는 사람이 아무도 없어서 걱정했던 것도 떠올라. 표지판도 없었고, '이 길이 맞나?' 의심하면서도 꿋꿋이 걸던 나에게 정말 고마워.

설레면서도 두려웠던 감정은 잊지 못할 거야!

2023년 7월 7일

지금은 그것을 안 하면 안 될 것 같지? 아니야 그만하면 되었어.

이제 그냥 흘려보내 주자

집착을 멈추고 싶은 나에게

집착하면 삶이 힘들어진다는 이야기를 들었어. 집착이 아니라 선호하라고 하더라. 그걸 좋아하고, 바라는 것까지만 하라는 뜻이겠지? 결과까지 내가 원하는 대로 될 거라고 생각은 하지만 실제로 되지 않아도 괜찮다고 속마음으로는 그래야겠지?

내가 집착하는 것은 뭘까? 돌아봤어. 많더라고, 완벽하게 하려는 것. 더 나은 것을 찾기 위해 계속 검색하고 또 보고 하더라고, 마감 기한에 맞춰서 해야 하는데, 찾아보는 데 시간을 제일 많이 쓰는 것 같아. 탐색 단계보다 더 중요한 것으로 넘어가야 하는데, 직성에 안 풀리는 거지. 중간에서 멈춘 건 한 부분에 꽂혔다는 거지. 이것을 이제 알아차렸다면 다음으로 넘어가자. 집착하지 말고, 너의 시간과 에너지를 양보해 주자.

지금은 그것을 안 하면 안 될 것 같지? 아니야 그만하면 되었어. 다음으로 넘어가 끝내자. 중간에 멈추면 앞으로 나아갈 수 없는 거 이제는 알잖아.

‘의미 있는 일’에 집착하지. 그래서 모든 에너지를 일에 쏟다 보니 건강을 잃을 뻔한 적도 있잖아. 어떤 일이든 의미가 있어. 의미는 부여하기 나름이잖아. 보람을 항상 느낄 수는 없어. 보람은 잠깐이지만 그걸 준비하는 과정은 힘들다는 거 알지? 이제 내가 잘할 수 있는 부분도 있고. 관심 있는 곳이라면 도전해 보고 부딪쳐 보자. 너무 하나에만 꽂혀 보지 못했던 것을 이제는 보자고.

'관계'에 집착하지. 사람을 좋아하다 보니 상처도 많이 받고, 그만큼 사랑도 많이 받았어. 옛날에는 인연이 평생 가는 줄 알았어. 그런데 아니더라. 보내야 할 사람에게 집착하다 보면 그 사람도 나도 모두 힘들더라.

이제는 떠나보내야 하는 인연, 내가 멀리해야 할 사람을 알아가고 있어. 현재 가장 현명한 선택을 하는 거야. 과거는 돌이킬 수 없고 미래는 알 수 없잖아. 상대방 상황이 안 좋을 수도, 내 가치관이 바뀌었을 수도 있고. 그냥 이제 흘려보내 주자.

2023년 7월 14일

균형을 맞춰보자. 삶의 중요한 부분을 먼저 채워 나가는데 몰입하는 거야.

균형과 몰입 사이

'해야 한다'가 많은 나에게

강박일까? 뭘 해야지 하고 끊임없이 나에게 다그치잖아.

'회사 알아봐야지, 집 알아봐야지, 요즘 AI 가 대세잖아. 영어로 검색하여 정확히 알려준다잖아. 이제 영어는 기본이야. 영어 공부해야지, 자본주의 사회야. 누구는 벌써 집을 샀다잖아, 너도 돈 공부 해야지, 살쪘네! 운동해야지. 책 읽는다며 책 언제 읽을래? 요즘은 퍼스널 브랜딩을 해야 하는 시대래. 글 쓴다며 블로그 해야지. 브런치도 해야지. 인스타는?'

이렇게 계속 나에게 해야 할 것들, To do list 만 잔뜩 던져 버린다. 욕심이 많은 탓일까? 욕망이 끊이질 않는다. 왜인지 다 해야만 할 것 같아.

매일 나 자신에게 주문한다. '이것도 하고 저것도 해야지.'라며 자꾸 시킨다. 시작도 하기 전에 지칠 때가 있다. 하기 싫은 것은 계속 미룬다. 중요한 것을 알지만 보기도 싫다. 그냥 제일 빨리 끝낼 수 있는 것, 쉬운 것을 골라 한다. 하나 해낸 것에 뿌듯함을 느끼지만 잠시일 뿐이다. 아직 해야 할 일들이 수두룩하게 빽빽하다. 이래서는 안 되겠다.

지금 가장 중요한 게 뭘까? 정말 네가 원하는 거니? 다른 사람이 하니까 부러워서 하고 싶은 거 아니게 아니었으면 해. 부족해서 집착하는 거는 아니지? 이것을 했을 때 힘든 점을 찾아봐. 시간과 에너지는 한정되어 있다고, 선택과 집중이 필요한 때잖아. 네가 꾸준히 하고 싶은 게 뭐야?

균형을 맞춰보자. 삶의 중요한 부분을 먼저 채워 나가는데 몰입하는 거야.

균형이 깨진 부분은 어딘지 알지. 일을 해서 돈을 버는 부분이 빠져 있어. 사실 지금 꾸준히 하고 싶은 게 무엇인지 잘 몰라 답답하고 불안하지. 두렵기도 하고 말이야.

다 잘할 필요 없어. 또 모두 해야 한다고 강요할 필요도 없지.

하나 확실한 것은 곧 나의 일을 찾고 또 걷고 있을 거라는 건 확실해. 나를 믿어주자.

2023년 7월 21일

아등바등 살며 너 자신을 괴롭히지 않으면 좋겠어. 좀 더 삶을 사랑해주자. 자신을 아껴주자. 돈을 버는 일만이 일이 아니고, 삶이 아니니까.

꽤 괜찮은 사람이야

있는 그대로 나를 사랑하고 싶지만 힘든 나에게

나와 잘 지내고 싶어. 나에게는 되게 엄격한 사람이야. 친구에게는 공감도 하고 위로도 잘해주고 칭찬도 해주는데 나에게는 그런 말보다 의무적인 것, 못하면 혼내고 구박하는 말을 많이 하네.

'왜 안 했어? 게으르네. 하기로 해놓고 또 미루네.'라는 말을 나에게 하다 보니 이런 소리를 듣기 싫어 도망치더라. 스마트폰을 쥐고 재밌는 콘텐츠를 찾아 헤매지. 저런 말, 생각에서 벗어나려고 하지. 잠시 재밌게 보고 도피하고 난 후 흘러간 시간을 깨닫고 다시 나를 자책하잖아.

나도 모르게 핸드폰에 중독이 되어버린 것 같아. 더 중요한 것에 집중하고 잘하고 싶은데 그냥 당장 즐거운 것에 정신이 팔려버려. 이제 이런 나를 알게 되었고, 바라보게 되었어. 이미 지나간 시간이고 또 구박해봤자 달라지는 건 없잖아.

혼내는 대신 지금 있는 그대로 나의 상태를 알아차리고 중요한 것에 집중하자. 바로 갑자기 엄청난 집중력을 발휘하거나, 잘 해내지는 못할 수 있어. 조금씩 나아지겠지. 조금씩 핸드폰과 멀어지고, 몸을 움직여 실행하는 시간을 늘려보자. 지금의 내가 만족스럽지 않더라도 있는 그대로 바라봐 주고 응원해 주면 좋겠어. 꾸짖는 것보다 도망치고 싶은 마음을 달래주는 게 필요하잖아. 뿌듯함을 더 좋아하는 너니

넌 노력해서 뭘 해내야만 인정받는 존재가 아니야. 현재 이 순간 살아 숨 쉬고 있음에 감사함을 아는 네가 소중해. 아등바등 살며 너 자신을 괴롭히지 않으면 좋겠어. 좀 더 삶을 사랑해 주자. 아껴주자. 돈을 버는 것만 일이 아니고, 삶이 아니니까. 예전보다 건강해지고 해보고 싶은 것도 많은데 기죽지 말자. 지금을 충만히 살자. 넌 나에게 꽤 괜찮은 사람이야.

2023년 7월 28일

앞으로 어떻게 될지 몰라 불안한 마음이 들더라도 조급해하지 말고, 두려워하지 않아도 돼. 네 꿈은 피기 위해 준비중이야. 시드는 게 아니야.

좀 기다려 주자

조급해서 미안한 나에게

계속 빨리빨리 하려고 하는 마음이 들어. 그냥 정해버리고 생각을 안 했으면 좋겠다는 마음도 들지. 급하게 정하려고 하니 더 어려운 건 아닐까? 중요한 문제인데 오래 걸리는 것이 당연하잖아. 뚝딱뚝딱 바로 답이 나오는 계산기도 아니고, 인생은 복잡하니까 하나의 답은 아닐 거야.

재촉해서 미안해. 왜 전에 안 했냐고 나무라서 미안해. 내가 안 해놓고, 다그치며 모든 것을 한꺼번에 해내라고 이야기하니 아주 힘들었지? 이제는 그만 나를 혼낼게. 급하게 서두르지 않을게.

내가 지금 급하다는 마음이 들면 다시 한번 물어볼게.

'왜 이렇게 급해? 긴장했어? 답답한 게 있어? 무엇을 하고 싶어?'

이제 내 성향을 조금은 알지. 너는 모험가잖아. 직접 해보고 거기서 힘들든 슬프든 기쁘든 배우고 깨닫는 사람이라는 거 말이야.

다양한 관심사로 하고 싶은 게 많아서, 시간이 더 부족하다고 느끼잖아. 조급하게 모든 것을 다 하려 하지 말고 우선순위를 정해보자. 이미 마음은 한쪽으로 신호를 보내잖아. 그렇게 가지치기하자.

'이것을 선택했을 때 무엇을 포기해야 하지? 장점이 뭐야? 단점은 뭔데? 저것을 하면 뭐가 좋아?' 일단 하고 싶은 것을 다 쓰고 나서 비교하지. 그러고 나서 선택을 한 후 밀려난 것에 대해 나름대로 합리화하지. 지금 할 수 없는 것은 나중에 하는 방법에 대해서도 생각을 해두지. 포기하는데도 납득이 돼야 하거든.

급하다고 실제 행동이나 결과가 즉시 나오는 것은 아니잖아. 마음속에 하고 싶은 것을 품고 조금씩 꾸준히 하다 보면 된다는 걸 알아. 한국의 100 대 명산을 일주일에 한 곳씩 정상을 찍다 보니 어느새 완주했지. 가슴에 '6 대륙 세계여행'이라는 버킷리스트를 품고, 마음먹은 지 8 년 만에 미국을 시작으로 결국 해냈잖아. 그 사실을 까맣게 잊고 지내며, 취업 경쟁에서 살아남으려고 얼마나 안간힘을 쓰고 있어? 지금 티가 안 나더라도 넌 결국 해낼 거야. 좀 기다려 주자.

앞으로 어떻게 될지 몰라 불안한 마음이 들더라도 조급해하지 말고, 두려워하지 않아도 돼. 네 꿈은 피기 위해 준비중이야. 시드는 게 아니야.

2023년 8월 4일

힘들면 울어도 괜찮고, 기쁘면 많이 웃어도 좋아. 그냥 나와 함께 해주는 것만으로도 고마우니까. 이렇게 평생 같이할 너니까 이제 자주 고맙다고 할게. 오늘부터 시작해야지.

오늘도 나와 함께 있어 줘 고마워

잘 버텨줘서 고마운 나에게

나에게 고맙다고 한 적이 언제였지? 수술 후 건강을 회복했을 때 나에게 고맙다고 한 게 마지막인 거 같아. 그 이후로 기억이 잘 안 나네.

잘 버텨줘서 고맙다고 말하고 싶어. 열정이 큰 만큼 알게 모르게 에너지를 엄청나게 쓰잖아. 일하는데도 에너지를 많이 쏟고 워낙 사람 만나는 것을 좋아해 쉬지 않고 만났잖아. 해야만 하는 일을 억지로 해야 할 때는 더 힘들었지? 힘든 거 알아주지도 않고, 고맙다고도 안 하고 굴리기만 했으니. 그 시간 버텨줘서 고마워.

싫어도 꼭 해야 하는 일을 해줘서 실패하더라도 도전해 줘서 고마워. 요즘 더 취업 준비로 스트레스받는 거 알아. 네 뜻대로 원하는 회사에 합격하면 좋겠지만 서류에서 떨어지고 면접에서도 떨어지고 괜찮은 척했지만 사실 크게 실망하고 좌절도 했지? 괜찮아. 더 좋은 너랑 잘 맞는 곳에 가려고 하는 걸 거야. 완전히 낙담해 모든 것을 포기하지 않고 계속 일에 대해 고민하고 있잖아. 꼭 네가 원하는 일을 하게 될 거야.

헤아려 보니까 고마운 게 많네. 소소하게 보면 이렇게 멋진 하늘을 보고, 두 발로 걷고, 맛있는 음식을 먹고, 좋아하는 사람을 만나는 것도 네가 다 살아 있기 때문이잖아. 가만히 못 있는 나를 쫓아다니느라 발도 고생이 많았어. 그래도 이런저런 경험 많이 해서 좋지? 추억이 하나둘 쌓이고 다른 연결을 만들어 주니까 말이야.

힘들면 울어도 괜찮고, 기쁘면 많이 웃어도 좋아. 그냥 나와 함께 해주는 것만으로도 고마우니까. 이렇게 평생 같이할 너니까 이제 자주 고맙다고 할게. 오늘부터 시작해야지.

'오늘도 나와 함께 있어 줘, 고마워!' 너를 좀 더 아끼고 사랑할게. 우리 죽을 때까지 사이좋게 지내자고. 잊지 않을게. 남에게 쏟는 관심과 애정만큼 너에게도 마음을 기울일게.

2023년 8월 11일

나의 목과 어깨에 전하는 말을 생각하니 '토닥토닥' 이 말이 제일 먼저 떠올랐어. 내 몸을 토닥여 주고 싶나 봐. '오늘도 수고했어. 토닥토닥.' 괜히 저 말을 들으면 위로가 되더라고.

아껴 줄게

나의 목과 어깨에 전하는 말

나의 목과 어깨에 전하는 말을 생각하니 '토닥토닥' 이 말이 제일 먼저 떠올랐어. 내 몸을 토닥여 주고 싶나 봐. '오늘도 수고했어. 토닥토닥.' 괜히 저 말을 들으면 위로가 되더라고.

내 몸 중에 항상 뻐근한 목과 어깨에 말해주고 싶어. 굳어 있는 상태로 가만히 오래 앉아 있고, 스마트폰을 들여다본다고 목은 앞으로 나와 있지. 깨어 있는 동안 무거운 머리를 받치느라 고생이 많아.

'일자 목'이어서 한동안 도수치료를 받았는데 결국 습관을 고치지 않으면 다시 아플 거라는 걸 알게 되었지. 의식적으로 더 신경 쓰도록 할게.

목이 정말 소중하다는 것을 목소리가 한 달 정도 안 나올 때 깨달았지. 내가 하고 싶은 말을 소리로 내보내는 넌 참 중요한 역할을 하고 있더라. 얼마나 답답하던지. 다시 노래를 부르고 사람들과 이야기할 수 있을 때 사실 눈물이 핑 돌았어. 다시 예전처럼 말할 수 있다는 게 뭉클했거든.

마치 겨울 날씨가 너무 추워서 파이프관에 얼었던 물이 갑자기 잘 나오는 느낌이랄까? 속 시원한 느낌도 들었어. 얼마나 대화가 하고 싶었는지 넌 알았지? 고마워, 목아.

어깨야. 왜 이렇게 뭉쳐있어? 긴장했어? 스트레스 받는다는 신호를 보내주는 걸까? 딱딱하게 굳은 너의 어깨를 말랑하게 풀어주고 싶어.

가방 안에 노트북, 충전기, 공책, 책, 필기구 등 온갖 잡동사니 다 넣고 다니잖아. 보부상처럼 다 들고 다녀 무겁게 짊어지게 했네. 그

짐을 다 든다고 고생이 많았어. 짓눌린 채로 있어서 힘들었지? 이제는 짐을 좀 줄여볼게.

튼튼하게 받쳐줘서 고마워, 어깨야. 처진 어깨 말고 활짝 편 어깨로 당당하게 다녀보자. 딱딱한 어깨 말고 말랑한 어깨를 만들어 보자. 네가 축 처져 있으면 펴주고, 굳어 있으면 풀어줄게. 네가 보내는 건강 신호를 확인할게.

목아! 어깨야! 자주 쑤시게 만들어 미안해. 앞으로 더 많이 관심 가지고 아껴 줄게. 쭉 함께하자. 구부정하지 말고 똑바른 자세를 해보자고.

2023년 8월 18일

어떤 감정이 예고도 없이 시소에 앉아 있다면 균형을 맞춰보자. 서로 시소를 재미있게 타려면 오르락 내리락 해야 하잖아. 마음 시소의 어떤 친구가 와 있는지 지켜봐 줄게. 같이 놀자.

시소 타기

내가 내 편이 되어주기 위해 함께 놀기

내 편이 된다는 것을 뭘까? 전적으로 믿고 응원해 주는 것일까? 아니면 처음은 마음이 아프더라도 쓴소리를 해주는 것일까?

둘 다 필요한 거겠지. 내가 마음이 아플 때, 지치고 힘들 때 있는 그대로 나를 알아봐 주고, 어려운 시기도 곧 지나갈 거라고 믿고 기다려주면 좋겠어. 그렇게 옆에서 응원해 주면 너는 어느새 다시 기력을 차려 일어나있을 거잖아.

다시 회복했을 때는 다음 한 걸음을 뗄 힘이 있겠지? 어디로 걸어 나가야 할 지 이 길이 맞는지 갈팡질팡 고민할 때 사실을 이야기해 주는 목소리가 필요해. 머릿속을 휘젓고 다니는 걱정과 불안이 사실이 아니라고. 그 정체는 내가 만들어 낸 거라는 진실을 마주할 때까지 기다려줬으면 해.

'네가 생각하고 있는 것은 이미 예전에 떠나간 일이야. 아직 일어나지도 않은 일을 왜 벌써 걱정해?' 옴짝달싹 못 하게 네가 만든 생각 감옥에 갇혀 있지 말고 발을 떼고 한 걸음씩 걸어봐.

걷다 보면 알게 될 거야. 내 무의식이 먹이를 주고 불안을 키워 왔다는 것을. 나아가다 보면 또 새로운 모습을 볼 수 있을 거야.'

괜찮다고 위로해 주는 너와 때로는 뼈아픈 조언을 해주는 내 편이 있으면 좋겠어. 진정한 내 편이 되어주기 위해 네가 지금 어떤 상태인지 속이지 않고, 피하지 말고 솔직히 알려줘. 비난으로 상처 입은 곳을 더 헤집지 말고 깊고 어두운 감정에 푹 빠져 있지도 말자.

시소가 한쪽으로 기울면 탈 수 없는 것처럼 양쪽에서 발돋움을 해줘야 하잖아. 움직일 수 있게 말이야. 어떤 감정이 예고도 없이 시소에 앉아 있다면 균형을 맞춰보자. 서로 시소를 재미있게 타려면 오르락내리락해야 하잖아. 마음 시소의 어떤 친구가 와 있는지 지켜봐 줄게. 같이 놀자.

'난 항상 네 편이라는 걸 잊지 마.'

2023년 8월 25일

넌 이미 충분해

황민아

황민아(메이) @minahhwang_

마흔에 결혼했고, 마흔둘에 엄마가 되었어요. 아이를 잘 키우고 싶은 만큼 엄마인 자신도 잘 돌보아야 하는구나 문득 알아차렸습니다. 경력 단절로 인한 불안을 극복하고자 돌봄 일기를 썼습니다. 글을 쓸 때 스스로와 깊은 연결을 느낍니다. 가장 나다운 글을 통해 더 넓은 세상과 이어지길 진심으로 바랍니다. 18년간 치과위생사로 지냈으나, 셀프케어코치와 작가로 새로운 커리어를 이어가고 있습니다.

앞으로도 살면서 힘든 일들이 또 찾아오겠지?
그때는 도망치지 않고 오롯이 나를 바라볼 수 있을 거야. 어둠을 고통으로만 여기지 않고 안아줄 수 있는 마음. 그 마음의 힘이 조금은 더 자란 것 같아.

살아 있다는 건

누구보다 애쓴 나에게

살아 있다는 건 오롯이 나를 마주하는 일이야. 지난 푸르른 4 월 어느 날, 내가 정말 좋아하는 산책길을 걸었던 일이 떠올라. 가장 편안하게 느끼는 음악을 들으며 몇 발짝을 걷기도 전에 눈물이 왈칵 쏟아졌지. 과연 왜 그랬을까? 이제 더 이상 상자 안에 갇혀 있지 말고 밖으로 나와도 괜찮다는 마음의 소리를 들었던 것 같아.

세상에 단 하나뿐인 가족이었던 아버지가 돌아가시고 이후 결혼과 임신 출산, 육아를 하며 4 년의 세월이 흘렀네. 무엇이 나를 그렇게 만들었는지 모르겠지만 불안, 우울, 무기력, 조급함을 내내 달고 지냈던 것 같아. 세상 든든한 남편과 너무 예쁜 딸이 곁에 있는데도 왜 그리 나의 못난 모습만 보였을까. 너무 외롭고 괴로웠어.

다시 잘살아 보고 싶었고, 나로 돌아오고 싶었어. 마흔둘에 엄마가 되고 보니 너무 늦지는 않았나, '딸과 오래오래 건강하게 함께하고 싶다.' 이런 마음이 들었어. 그리고 생전 처음으로 '죽음'이 진지하게 다가왔어. 삶의 마지막을 떠올려 보니 지금 누리고 있는 것에 감사한 마음이 들었어. 그리고 내게 의미 있는 일은 무엇일지 생각했지. 자신과 대화하며 마음의 소리를 듣고, 글로 표현하는 삶. 무엇보다 나 자신을 돌보며 사람들과 함께 사랑과 관심을 나누며 살고 싶어.

어떻게든 세상과 단절된 느낌을 극복하고 싶어, 지난 6개월 동안 치열하게 책을 읽었어. 또 산책하고 글을 쓰며 생각을 정리해 나갔어. 그날 네가 흘렸던 눈물은, 힘든 시간을 견뎌낸 너 자신을 위한 위로였던 거야.

이제 괜찮다고, 다시 시작하면 된다고 말이야.
그동안 많이 힘들었지?
너무 애썼어. 그리고 잘했어.
버티기 힘들었던 시간이 이제 가장 소중한 경험이 되었다고
이젠 말할 수 있잖아.
얼마나 다행이고 기쁜지 몰라.
앞으로도 살면서 힘든 일들이 또 찾아오겠지?
그때는 도망치지 않고 오롯이 나를 바라볼 수 있을 거야.

어둠을 고통으로만 여기지 않고 안아줄 수 있는 마음.
그 마음의 힘이 조금은 더 자란 것 같아.

2023년 6월 15일

오늘 내가 기억하고 싶은 건 당시 내게 해주었던 사람들의 달콤한 칭찬이나 좋은 말들이 아니야. 그런 것들이 당장 나의 기분을 좋게 해줄 수는 있겠지. 하지만 왜 그때의 일이 자꾸 기억나는지 지금 내 마음이 궁금해.
내가 나에게 무엇을 말해주고 싶은 걸까?
아마 그 시절에 느꼈던 간절함, 진심 이런 것들이 떠올랐기 때문인 것 같아.

가장 나다운 모습이 된다는 것

자신의 한계를 넘어서는 도전을 해낸 나에게

지난 4 년간의 공백시간이 찰나처럼 스쳐 가네. 스스로 주저앉지 않고 어떻게 해서든 세상 밖으로 나가려고 자주 떠올린 경험이 있어.

바로 5 년 전 강연 무대에 섰던 일이야. 치과위생사로 18 년간 근무하며 마침내 발견한 메시지를 사람들과 나누고 싶었지. 의료 현장에서 근무하는 스태프가 무엇보다 상처받지 않고 '나는 소중한 한 사람'이라는 자존감을 잃지 않았으면 하는 바람, 나만의 강점, 가치, 비전을 바탕으로 한 브랜딩이었어.

내게 주어진 무대에서 시간은 15 분. 대본을 작성하고 발표 자료로 만들기까지 얼마나 노력을 쏟아부었는지, 지금 와서 생각해

보니 어떻게 그 시간을 견뎌냈을까 하는 생각이 들어. 5 개월의 준비 기간 동안 내 머릿속은 온통 강연 준비 내용으로 가득했지. 대본 수정을 위해 카페에 가곤 했던 여름, 수많은 날이 떠올라. 몇 시간을 앉아 있었는데도 머릿속이 하얗게 돼 버려 한 줄도 써 내려가지 못하는 날도 많았잖아.

'어떻게 하면 잘할 수 있을까? 보다 어떻게 하면 가장 나다운 모습일 수 있을까?' 치열하게 고민했던 시간이었어. 무대에 서 있는 나의 모습이 어떠할지, 어떻게 내용을 자연스럽게 이야기해 나갈지, 무대에서 바라보는 관객들의 모습은 어떠할지, 심지어 실수라도 하면 어떻게 대처해야 할지 등 미리 여러 방향으로 그림을 그려보곤 했었지.

너무도 생생하게 내 모습을 상상해 본 덕택이었을까? 대본을 외우지 않고도, 그저 물 흐르듯 내 이야기를 전달하고 싶은 마음이었기에 막상 무대에서 크게 떨지 않았잖아. 내가 전달하고픈 메시지가 200 여 명 관객 모두의 마음을 울리진 못하겠지만, 한 사람의 마음에라도 닿길 바라는 마음이었어.

오늘 내가 기억하고 싶은 건 당시 내게 해주었던 사람들의 달콤한 칭찬이나 좋은 말들이 아니야. 그런 것들이 당장 나의 기분을 좋게 해줄 수는 있겠지. 하지만 왜 그때의 일이 자꾸 기억나는지 지금 내 마음이 궁금해. 내가 나에게 무엇을 말해주고 싶은 걸까? 아마 그 시절에 느꼈던 간절함, 진심 이런 것들이 떠올랐기 때문인 것 같아.

지금 네가 진심을 담아 간절하게 이루고 싶은 일은 무엇일까?

두 가지가 떠올랐어. 첫 번째는 나 자신과 일상을 성찰하며 글을 쓰는 사람이 되는 것. 두 번째는 코치가 되는 거야. 한 사람을 온전한 인간으로 바라보며 그가 가진 잠재력을 발견할 수 있게 하고, 앞으로 나아갈 수 있게 도와주는 사람.

가만히 생각해보니 내가 깊은 곳 어딘가에 빠져 허우적대고 있을 때 나를 끌어 올린 일이 바로 글을 쓰는 일과 코칭이었네. 길을 잃었을 때 글을 쓰며 자신을 스스로 세우고, 누군가에게 코칭을 받으며 내 안에 무한한 가능성이 있음을 알게 되었던 순간이 떠올랐어. 한 사람으로 오롯이 존중과 인정을 받았던 그 감동은 긴 여운으로 마음에 남아 두고두고 힘이 되어 주기도 해.

5 년 전 경험을 떠올리며 오늘 이렇게 새로운 발견을 하는 네가 너무 자랑스러워. 과거에 애틋하고 온 마음을 다해 노력했던 경

험이 현재에 하고 싶은 일로 연결되다니 신기하네. 이제 5 년 전 나에게 미처 하지 못했던 말을 하고 싶어.

두려운 마음이 드는 도전이었는데도 정말 잘했어.
그 일을 해낸 네가 정말 자랑스럽다.

2023년 6월 20일

그때부터였을까. 마음이 울적하거나 안 좋은 생각이 들 때면 무조건 밖으로 나가 걸었어. 퇴근 이후 대중교통을 이용하는 대신 맨해튼 곳곳을 구석구석 걸어 다녔지. 용기 내서 혼자 유명 레스토랑에 가서 식사도 하고, 브로드웨이에서 뮤지컬도 보고 미술관에 자주 가곤 했어. 그렇게 지내면서 난생처음으로 혼자만의 시간을 보낼 수 있게 된 것 같아.

서른의 뉴욕 생활이 내게 남긴 것

혼자 지내는 법을 알게 된 나에게

나는 좋아하는 공간에서 커피와 함께 혼자 시간을 보낼 때 행복을 느껴. 가장 감성적인 내가 되는 시간이기도 한데, 마음이 말랑말랑할 때 떠오르는 아이디어나 생각은 제일 나답다고 느껴지곤 해. 주로 음악을 들으며 책을 읽거나 글을 쓰며 보내는데, 멍하니 있다가 알 수 없는 감정에 사로잡혀 눈물이 날 때도 있어. 아마 자신에게 말을 걸다 마음 속 깊은 곳 어딘가에서 느껴지는 울림 때문이 아닐까. 바쁜 일상을 잠시 내려놓고 보내는 쉼표 같은 휴식 시간. 스스로 위로의 말을 건네다 보면 자신을 잘 돌보고 있다는 뿌듯함과 함께 무엇이든 가능하겠다는 힘이 차오르기도 해.

지난 시절을 돌아보면 특히 나의 20대엔 혼자 지내는 법을 잘 몰랐던 것 같아. 어떤 계기로 혼자 시간을 보내는 걸 좋아하게 되었을까 생각하다 스티브 잡스의 명언인 'connecting the dots'가 떠올랐어. '순간 순간이 모여 점을 이룬다'는 말을 나에게 대입시켜 보면 '인생의 전환점'은 서른의 뉴욕 생활이 그 시작이었어.

정말 우연한 기회에 뉴욕에서 근무할 기회가 찾아왔어. 세계적인 도시에서 서른을 보낼 수 있다니, 정말 꿈만 같았던 감정이 떠오른다. 벅찬 마음을 안고 시작한 생활은 막상 쉽지 않았어. 뉴욕에 도착해 첫 2개월 정도 지독한 향수병에 시달렸어. 화려한 타임스퀘어 거리를 혼자 걷고 있으면 너무 황홀하고 설레는 마음이 들다가도 이내 알 수 없는 두려움에 사로잡히기도 했어. 그곳에서 생활은 여행하는 것처럼 하루하루가 새롭고 좋았지만, 다가오는 미래에 대한 걱정도 동시에 들었던 것 같아. 서른 살에 큰 경험을 하고 있으니, 앞으로 무엇을 이루고 채워 나가야 할지 막막했어.

어떻게 해야 할지 몰라 한국에 있는 친구에게 전화를 걸었어. 너무 힘들면 한국으로 다시 돌아오라는 말을 수화기 너머로 듣는 순간 정신이 번뜩 들었어. 그리고 결심했지. 이곳에 오기로 한 결정은 그 누구도 아닌 나의 선택이었고, 앞으로 남은 시간은 후회 없이 행복하게 잘 지내야겠다고 말이야.

그때부터였을까. 마음이 울적하거나 안 좋은 생각이 들 때면 무조건 밖으로 나가 걸었어. 퇴근 이후 대중교통을 이용하는 대신 맨해튼 곳곳을 구석구석 걸어 다녔지. 용기 내서 유명 레스토랑에 가서 식사도 하고, 브로드웨이에서 뮤지컬도 보고 미술관에 자주 가곤 했어. 그렇게 지내면서 난생처음으로 혼자만의 시간을 보낼 수 있게 된 것 같아. 내가 무엇을 좋아하는지, 어떤 일을 할 때 행복한지 알게 되었지. 무엇보다 가장 큰 배움이었던 건 힘든 순간에 차분하게 홀로 보낼 수 있다는 거야. 15년 가까이 지난 지금까지도 내게 진한 영향을 미치고 있구나. 삶의 터닝 포인트가 되어 준 뉴욕 생활. 두고두고 추억할 수 있는 경험이 있다는 건 정말 행운이야. 자주 나만의 시간을 갖고 스스로를 돌보고 챙기려고 노력하자.

2023년 6월 28일

스스로 던진 질문에 답을 하면서 막막했던 마음이 조금씩 편해졌어. 엄마로서 느끼는 행복만큼 나를 찾고 싶은 바람이 간절했던 것 같아. 스스로 붙인 '나이 많은 엄마'라는 수식어는 떼 버리고, 나의 삶을 책임질 수 있는 사람이 되고 싶어.

나이 많은 엄마라는 수식어는 떼버리자

나의 삶을 살아내고 싶은 나에게

마흔둘에 엄마가 되니 왠지 늦었다는 생각에 마음이 위축되고, 조급했어. 내 나이 또래에 둘째를 출산하는 경우는 있었지만, 나와 같은 길을 걷고 있는 사람은 없었지. 경험이 있는 누군가에게 조언을 듣거나, 도움을 요청하고 싶었지만, 주변에 아무도 없어 외로웠어. 어디에서도 40대의 결혼과 육아에 대한 정보를 찾을 수 없었어. 육아와 동시에 앞으로 경력 준비를 해야 한다는 부담이 컸지. 혹시 이대로 경력 단절이 되는 건가 싶어 불안한 마음에 밤잠을 뒤척이기도 했어.

과연 무얼 할 수 있을까 두려웠어. 사소한 일에 걱정이 많고, 자주 화가 났지. 부정적인 기운이 꼭 나를 집어삼킬 것만 같았어. 기분이 괜찮다가 갑자기 눈물이 나기도 하고, 하루는 아직 돌도 안된

딸 앞에서 이유 없이 꺼이꺼이 울던 일이 떠올라.

그런 모습이 반복되던 어느 날, 남편이 처음으로 말을 꺼냈어. 전문가에게 상담을 받아보면 어떻겠냐고. 격양된 모습의 남편을 그때 처음 보게 되었지. 가족을 힘들게 하고 있다는 마음에 너무 미안했어.

이런 상황에서 벗어나고 싶단 생각뿐이었어. 전문가의 도움보다는 내 힘으로 일어서겠다고 했지. 카페에서 혼자만의 시간을 보낸 어느 날, 자신에게 말을 걸던 기억이 나.

두렵고 불안한 감정이 어디에서 온 것인지.
내게 무엇을 말하고 싶었던 건지.
앞으로 어떤 삶을 살고 싶은지.

스스로 던진 질문에 답을 하면서 막막했던 마음이 조금씩 편해졌어. 엄마로서 느끼는 행복만큼 나를 찾고 싶은 바람이 간절했던 것 같아. 스스로 붙인 '나이 많은 엄마'라는 수식어는 떼버리고, 나의 삶을 책임질 수 있는 사람이 되고 싶어

아이가 크면 어느덧 엄마 품을 떠날 때니, 미래에 원하는 모습에

대해서도 생각했지. 나이가 들어서도 건강하게 일하고 싶은 바람, 그리고 자신을 지킬 수 있을 만큼의 경제적 자유를 얻고 싶다는 것을 알았어.

메이야, 두려움과 불안이라는 감정 뒤에 이루고 싶은 모습을 발견해 정말 다행이야. 이제부터 네 하루를 원하는 삶에 가까워지기 위한 일로 채우고 하나씩 해보자. 그 과정이 즐겁고 행복했으면 좋겠어. 혹시 어려움을 마주하더라도 그동안 쌓은 내공으로 충분히 이겨낼 수 있을거야.

무엇보다 원하는 일은 얼마든지 이룰 수 있다는 마음으로 자신을 믿었으면 해.

2023년 7월 3일

네가 하고자 하는 일을 하나둘씩 해낼 때 비로소 '나다운 삶'이 가능하다고 믿어. 자신을 믿고 너만의 속도로 잘 가보자.

경력 단절을 대하는 자세

마음이 시키는 일을 하고 싶은 나에게

지난 1월 초 갑자기 무슨 결심이 섰는지 여성새로일하기센터에 구직 전화 문의를 했지. 그러고는 주저 없이 그곳으로 갔어. '이러다 경력이 끊기는 거 아니야. 다시 일을 할 수 있을까?' 끊임없이 두려움과 의구심이 들었어. 왠지 그곳에 가면 정답이 있을지도 모른다고 여겼어.

직업 상담사에게 어떻게 여기 왔는지 말하고, 이내 받은 서류에 지난 경력을 작성했지. 그런데 쓰면서 이미 마음 한구석에 불편함이 올라왔어. 이어서 작성한 서류를 보며 면담하는데, 계속 마음의 저항이 느껴졌잖니. 몸은 그곳에 있었지만, 머릿속은 다른 생각으로 채워졌지. 맞지 않은 옷을 입고, 원하지 않는 장소에 와 있는 기분이 들었어. 억지웃음을 지으며 상담사의 질문에 대답했지. 어떤 일을 하고 싶냐는 질문에도 대충 둘러댔잖아. 최선을 다해 도와주려는 상담사의 모습에 미안했어. 상담사의 권유에 이끌려 구직 등록을 마치고 나서야 그곳을 나왔어.

몇 걸음을 걷기도 전에 바로 알아차렸지. 내가 원하는 일은 세상이 괜찮다는 일이 아니라고. 시간이 걸리더라도 마음이 시키는 일을 내 힘으로 해보고 싶어. 나는 나의 이야기를 글로 쓸 때 가장 나다운 모습이라고 느껴. 그래서 글 쓰는 사람이 되고 싶었잖아. 그리고 한 사람을 있는 그대로 존중하고, 스스로 잠재력을 발견할 수 있도록 도와주는 코치가 되고 싶었어.

그날 그곳에 방문한 이유가 뭘까? 혹시 내가 원하는 일에 적극적으로 뛰어드는 것이 두려워 숨으려고 했던걸까. 아니면 시작해 보지도 않고 걱정과 부담감으로, 현실에 안주하고 싶었던 마음이었을까. 그 어떤 마음이라도 이해하지만, 정말 원하는 일에 뛰어들지 못하고 주위를 맴도는 것 같아 안타까워. 시작에 대한 두려움을 가볍게 내려놓는 건 어때? 일어나지도 않은 일에 대한 걱정은 시작을 계속 붙들기만 할 거야.

불안할 때 마음의 시선을 미래가 아닌 오늘, 지금 여기로 데려오도록 하자. 할 수 있는 가장 작은 일을 시도해 보는 거야. 지금 이렇게 글 쓰면서 자신을 위로하고 다독이는 것처럼. 메이야, 네가 하고자 하는 일을 하나둘씩 해낼 때 비로소 '나다운 삶'이 가능하다고 믿어. 자신을 믿고 너만의 속도로 잘 가보자.

2023년 7월 10일

지금 나와 함께 하는 사람에게 충실하되 무언가를 바라지 말자. 언젠가 누군가와 멀어진다고 해도 원망하거나 자신을 탓하지 않았으면 해. 메이야, 무엇보다 너도 누군가를 거절할 수 있다는 걸 기억하자. 관계란 밀물과 썰물처럼 멀어지기도 하고 가까워지기도 하니까, 네가 중심을 잡았으면 좋겠어.

어느 순간 멀어지는 관계에 대해

자책을 멈추고 싶은 나에게

딸을 출산하고 집에서 육아하는 나를 위해 친구가 기꺼이 집까지 와주었지. 코로나 대유행 때문에 임신 기간부터 2년간 사람을 만나지 못했어. 친한 친구인데도 오랜만이어서 그랬는지 얼굴을 마주하는 게 반갑기도 하면서 어색했어.

친구는 양손 가득 손수 만든 반찬과 도시락을 챙겨왔지. 무엇보다 아기 돌보는 엄마가 잘 챙겨야 먹어야 한다면서. 따뜻한 배려에 정말 고마웠어. 내 딸을 안고 세상 다정한 표정으로 말을 건네던 모습이 떠오른다.

여느 때처럼 그동안 못다 한 이야기를 나누느라 시간 가는 줄도 몰랐지, 산후 우울증으로 괴로운 마음을 터놓을 땐 눈물이 나기도 했어. 허심탄회하게, 어쩌면 허물이 될지도 모를 만한 부분도 털어놓았지. 누군가 내 이야기를 그렇게 들어준다는 게 얼마나 큰 위로였는지 몰라.

친구가 돌아간 이후 서너 차례 메시지를 주고받았는데, 뭔가 예전과는 달라진 친구의 태도를 알아차렸어. 더 이상 서로 연락하지 않았고, 그렇게 2년의 세월이 흘렀네. 아무리 바빠도 이렇게 오랫동안 서로의 안부를 묻지 않은 적이 없었는데 말이야.

도대체 무엇이 문제였던 걸까. 친구가 집에 다녀갔던 그날의 대화를 곱씹으며 자책과 원망에 빠지길 여러 차례였어. 내가 무슨 말실수라도 한 걸까 싶어 괴로웠어.

더 이상 내 탓 하기를 멈추겠다고 마음먹던 날, 문득 이런 생각이 들었지. 나를 잘 돌볼 수 있어야, 다른 사람과의 관계도 잘 돌볼 수 있다고. 어떻게 하면 내 아이를 잘 키울까, 잘 돌볼 수 있을까 생각하면서 정작 나 자신을 잘 돌보지 못했다는 안타까운 마음이 밀려왔어.

당시 친구와의 만남을 떠올려 보니, 자격지심으로 가득 찼던 내 모습이 보였어. 무엇보다 내가 자신을 아끼고 사랑해 주어야 하는데 그러지 못한 모습에 친구가 실망이라도 한 걸까 싶었지.

하지만 어떻게 생각하든 그건 그 친구의 몫으로 남겨두는 게 좋겠어. 그날 너희는 서로를 위해 최선을 다했을 뿐이야. 네 잘못이 아니야. 더 이상 자책하며 힘들어하지 않았으면 해. 사람과 관계를 맺고 이어가기 위해 너무 애쓰지 않아도 돼. 앞으로 누군가와 또 이런 식으로 멀어지는 건 아닐까 두려운 마음이 들었잖니.

지금 나와 함께 하는 사람에게 충실하되 무언가를 바라지 말자. 언젠가 사이가 멀어진다고 해도 자신을 미워하거나 스스로를 탓하지 않았으면 해. 인간관계라는 게 네가 애쓴다고 되는 게 아니잖아. 메이야, 무엇보다 너도 누군가를 거절할 수 있다는 걸 기억하자. 관계란 밀물과 썰물처럼 멀어지기도 하고 가까워지기도 하니까, 네가 중심을 잡았으면 좋겠어.

2023년 7월 17일

어떻게 하면 수치심이라는 감정에서 벗어날 수 있을까 한참 고민을 했어. '그래. 인정할 건 인정하자.' 마흔둘에 엄마가 되었으니 사회적인 기준으로 보면 나이 많은 엄마가 맞지. 그렇다고 스스로 부끄럽다고 생각하지 않았으면 해.

수치심에 관한 고백

감정의 주인이 되고 싶은 나에게

지난 4월 중순의 어느 날 딸을 어린이집에 보내고 예약 장소로 가고 있었어. 목적지에 거의 왔을 때쯤, 자주 인사를 나누는 이웃 어르신과 마주쳤지.

나를 보더니 대뜸 "살이 쪘나? 아니면 부었나?"라고 하시는 거야. 듣는 순간 어찌나 당황스러운지 얼굴이 화끈거렸어. 아무리 가까운 사이라도 외모와 관련된 말은 조심하는데, 잘 알지도 못하는 사람에게 그런 말을 갑자기 들으니 불쾌했어.

그 마음을 막 알아차리는 순간에 어르신이 한마디를 더 하셨지. "나이도 사십 넘었죠?" 마음 같아서는 당장 자리를 피하고 싶었지만 왜 그대로 서 있었던 걸까? 이어지는 질문에도 억지웃음을 지으며 형식적인 대답만 했잖니. 뒤돌아가는데 수치심이 몰려와 어쩔 줄을 몰랐지. 내 기준으로는 상당히 무례한 발언이라 여겼고, 속으로 뭐 저런 사람이 다 있지 싶었어.

사실 그날 아이를 보내고 속상한 일이 있어 집에서 울고 나왔잖아. 가뜩이나 속상한데 어르신의 말이 더 파고들어 마음 상했어. 얼굴에 뭐라도 좀 바르고 나올 걸 후회스러웠지. 바쁘단 핑계로 외모를 가꾸지 않고 지냈구나 싶었어. 하필 가야 하는 곳이 미용실이라니. 머리를 자르려고 자리에 앉았는데 마주 보이는 거울 속 내 모습이 유난히 못나 보였어. 빨리 마무리하고 여길 나가고 싶었어.

미용실에서 나오자마자 남편에게 문자를 보냈어. 너무 속상했다고, 내 편 좀 들어달라고 말이야. 그렇게라도 해야 내 마음이 달래어질 것 같았어. 놀란 나머지 감정이 쉽게 식지 않았지.

이후에 그 어르신을 멀리서 보면 피해 다녔어. 다시는 마주치고 싶지 않았어. 그런데 어느 정도 시간이 흐른 뒤 그날의 수치심에 대해 알아보고 싶더라. 마냥 그 어르신에게 내가 느낀 감정의 책임을 전부 돌리고 싶지 않았거든. 감정의 주인은 나이고, 스스로 해결해야 한다 여겼어. 수치심이 계속 흐르도록 놔둔다면 두고두고 나를 못살게 괴롭힐 것만 같았거든. 당혹스러웠던 건 내가 가장 드러내고 싶지 않은 부분을 누군가에게 들켰다는 마음 때문이었어. 겉으론 괜찮은 척했지만, 무의식 어딘가에 '나는 나이 많은 엄마구나.'라는 생각이 자리했음을 알았지.

출산 후 달라진 체형에 누구보다 외모에 자신감이 떨어졌어. 코로나 대유행으로 다른 사람과 만날 일이 없다 보니 화장을 한지가 언제인지 기억이 나지 않을 정도야. 좀처럼 옷도 사지 않았지. 운동은 한다면서 매번 작심삼일이었네. 아이를 재운 뒤 남편과 함께 마시는 맥주 한 잔은 또 어찌나 꿀맛인지. 그렇게 다이어트와는 한참 멀어져 갔잖니. 어떻게 하면 수치심이라는 감정에서 벗어날 수 있을까 한참 고민을 했어.

'그래. 인정할 건 인정하자.'

마흔둘에 엄마가 되었으니 사회적인 기준으로 보면 나이 많은 엄마가 맞지. 그렇다고 스스로 부끄럽다고 생각하지 않았으면 해.

엄마가 되어 이전에는 한 번도 느끼지 못했던 행복을 누리고 있잖아. 외출복을 갈아입었을 뿐인데 "엄마, 최고!"라며 나를 보며 환하게 웃는 모습을 봤잖니. 아이의 말과 행동에 순수한 기쁨을 느껴. 네가 육아하면서 다른 엄마에게 건네는 응원의 마음을 스스로 줄 수 있으면 좋겠어.

나이가 들어도 자기 관리를 하자. 운동과 식단 관리는 누구를 위해서 하는 게 아니라 나를 보살피는 마음으로 했으면 해.

가장 짓눌렸던 수치심에 대해 이렇게 털어놓고 나니, 마음이 한결 가벼워졌어. 꽤 용기가 필요한 일이었는데 해냈구나.

2023년 7월 23일

지난 삶을 되돌아보면 누군가의 제안을 거절하는 일이 참 쉽지 않았어. 마음에 없는 일을 하느라 얼마나 끙끙 앓았니. 메이야, 친구에게 못 만나겠다는 메시지를 보내도 괜찮아.
네가 거절하면 혹여나 관계가 틀어지지 않을까 걱정하는 마음 이해해. 하지만 이제 누구보다 너 자신을 위하고, 네 시간을 소중히 쓰고 싶어 하잖니.

거절해도 괜찮아

거절이 쉽지 않은 나에게

얼마 전 친구로부터 메시지를 받았어. 함께 가고 싶은 모임이 있는데 내 생각이 났다며 같이 가자고 말이야. 그 말에 정말 반가웠어. 결혼식 이후에 여러 차례 전화로 안부를 주고받았지만, 얼굴 한 번 못 보고 지냈지. 친구가 요즘 푹 빠져 있는 분야라며 모임 소개를 했어. 내 관심사는 아니었지만 오랜만에 서로 만날 수 있는 자리니까 나가겠다고 했지.

그렇게 약속을 정하고 며칠이 흘렀어. 친구가 같이 가고 싶다던 모임의 비지니스 링크를 보냈지. 순간 뭔가 싶어 혼란스러웠어. 이내 정신을 차려 친구가 마침내 좋아하는 일을 찾았구나 싶어 축하한다는 말을 건넸어. 돌아서 보니 단순히 친구를 만나는 거면 괜찮지만, 그 모임에는 가고 싶지 않다는 걸 알아차렸어. 그런데 말이야.

약속을 못 지키겠다고 말하는 게 참 어렵더라. '갑자기 연락한 의도가 순수한 것일까 아닐까'를 재는 게 괴로웠어. 소울메이트 같은 친구인데 이런 생각을 해도 되는 걸까 싶었지. 한편으로는 처음부터 친구가 솔직하게 이야기 해주었더라면 어땠을까 싶었어.

지난 삶을 되돌아보면 누군가의 제안을 거절하는 일이 참 쉽지 않았어. 마음에 없는 일을 하느라 얼마나 끙끙 앓았니. 메이야, 친구에게 못 만나겠다는 메시지를 보내도 괜찮아. 네가 거절하면 혹여나 관계가 틀어지지 않을까 걱정하는 마음 이해해. 하지만 이제 누구보다 너 자신을 위하고, 네 시간을 소중히 쓰고 싶어 하잖니. 친구와의 만남을 추억으로 남기고, 네 삶에 좀 더 충실해도 돼.

2023년 8월 4일

이번 경험으로 다시 한번 알았어. 나를 잘 돌보아야
주변 사람을 살필 수 있다는 것을.
메이야, 끼니 거르지 말고 건강한 음식으로 잘 챙겨
먹어. 그 누구 보다 네가 제일 우선이라는거 잊지마.

나를 잘 돌본다는 것

아이가 아프던 날에 어떻게든 나 혼자 버텨보겠다던 나에게

딸아이의 고열이 4일째 지속되던 날 동네 소아과에 갔지. 만약 다음날까지 열이 계속된다면 큰 병원으로 가야 한다는 말을 들었어. 우려했던 일은 현실이 되고, 상급 의료기관으로 가야 했어. 응급실에 소아과 의사가 없는 병원을 제외하니 당장 갈 수 있는 대학병원은 딱 하나였어. 하루종일 기다림의 연속이었어. 대기가 3시간 이상 걸린다는 말에 한숨이 절로 나왔어. 선택의 여지가 없기에 두 시간 정도 대기하고 나서야 입원 안내를 받았지.

환자와 보호자 모두 코로나 검사 결과 음성이어야 입원할 수 있다고 했어. 땡볕에 아픈 아이를 안고 가는 데 PCR 검사를 하는 곳이 병원 외부에 있어 힘에 부쳤지. 유모차를 챙겼더라면 좀 수월했을 텐데, 너무 경황이 없어 뭘 챙겨야 하는지 마음만 바빴네. 검사 결과가 나올 때까지 집에서 대기하라고 해서 아이를 데리고 집에

돌아왔지. 아이를 씻기고 침대에 눕히고 보니 40도 가까이 열이 올랐어. 할 수 있는 일은 없고 병원 연락만 기다려야 해서 참 답답했어. 그러고 보니 나 역시 오후 6시가 다 돼가도록 아침에 먹은 빵 한 조각이 전부였지. 며칠 전부터 감기 기운이 있어 약을 먹었어야 했는데, 챙겨 먹을 새 없이 내 몸은 지칠 대로 지친 상태였어.

음성 결과 메시지를 받고 저녁 7시 반이 되어서야 병실에 들어갈 수 있었어. 주삿바늘이 꽂힌 손을 보니 안쓰러웠지만, 이제 의료진의 치료를 받을 수 있겠구나 싶어 마음이 놓였어.

아이는 결국 폐렴 진단을 받았어. 고작 두 살 된 딸이 항생제 주사를 맞으며 밤새 오한과 고열로 끙끙 앓았지. 어른도 견디기 힘든 고통일 텐데. 밤새 곁에서 아이를 확인했지. 밤이 되니까 나 역시 기침이 심해져 좀처럼 잠 들 수가 없었어. 감기약을 먹으려면 밥을 잘 챙겨 먹었어야 했는데 그러지 못했지. 입원 둘째 날 아이는 더 힘들었는지 온종일 잠만 잤고, 계속되는 항생제 치료에 설사가 잦았지. 연거푸 아이를 세 번 씻기고, 옷을 갈아 입히고, 침대 시트를 교체하고 나니 온몸에서 땀이 비 오듯 흘렀어. 몸이 정말 힘들었지만 참아야 했어.

입원 셋째 날, 드디어 아이는 정상 체온을 회복하기 시작했어. 그런데 그날 내가 제대로 병이 났지. 아침 식사로 먹은 음식을 모두 토했잖아. 두통이 점점 심해지고 기침할 때마다 배가 심하게 당겨 가슴이 아팠어. 진료를 받아야 할 것 같아 확인해보니 해당 진료과로 가야 한다고 했어.

아픈 아이를 휠체어에 태우고 내 몸을 이리저리 끌고 다니기가 버거웠어. 대학병원 약국은 대기가 어찌나 길던지 빨리 병실로 돌아가고 싶은 마음이었어. 남편에게 아이 병간호를 부탁할 수도 있었지만, 코로나 PCR 검사를 거쳐야 했기에 남편에게 지장을 주고 싶지 않았어. 몸이 너무 아픈데도 어떻게든 나 혼자 버텨보겠다고 마음 먹었지.

병실로 돌아와 며칠 만에 제대로 된 한 끼를 먹었어. 밥을 먹는데 왠지 서글퍼서 목이 메었지. 아이를 돌보는 동안 입맛이 없어 얼마 먹지도 못했잖아. 빵집에 가서 신선한 샌드위치라도 사 먹을 걸, 내리 두 끼를 손바닥만 한 카스텔라 하나로 버텼으니 몸이 상했잖니. 다행히 남은 입원 기간 동안 식사도 잘하고, 약도 챙겨 먹었더니 조금씩 몸 상태가 나아졌지.

아이를 돌보면서 왜 엄마인 나를 돌보지 못했을까? 나 자신에게 미안했어. 동시에 원망하는 마음도 컸지. 내 밥 한 끼조차 챙기지 못했네. 평소에 아이 입에 넣어주려고 과일을 깎으면서, 정작 내 몫은 챙기지 않았더라.

이번 경험으로 다시 한번 알았어. 나를 잘 돌보아야 주변 사람을 살필 수 있다는 것을. 메이야, 끼니 거르지 말고 건강한 음식으로 잘 챙겨먹어. 그 누구보다 네가 제일 우선이라는거 잊지마.

2023 년 8 월 9 일

지금처럼 성찰한 것을 글로 자유롭게 표현하면 좋겠어. 소중한 일을 먼저 하면서 원하는 모습을 꾸준히 만들어 갔으면 해. 그게 바로 내가 바라는 나다운 삶일 테니까.

내가 바라는 나다운 삶

평생 책 읽고 글쓰고 싶은 나에게

딸아이가 어린이집에 다니게 되면서 출산 후 처음으로 자유 시간을 갖게 됐어. 알차게 보내고 싶은 마음에 시간별로 할 일을 정했지. 마치 초등학교 때 방학 계획표를 짜듯이 말이야. 운동, 영어 공부, 독서, 자격증 준비 등 하고 싶은 일이 어찌나 많던지. 그 일을 모두 해낸 날이면 너무 뿌듯했어.

계속하다 보니 이렇게 여러 가지를 다 하는 게 맞는지 의심이 들었어. '정말 내가 하고 싶은 일은 무엇일까?' 자신에게 거듭 물었지.

고민 끝에 하나에 흥미를 붙였다 싶으면 아이를 돌봐야 했지. 아이가 자주 아파 어린이집 등원을 못 하는 날이 많았잖아. 규칙적으로 나만의 시간을 갖는 게 마음처럼 되지 않았어.

그렇게 일 년 가까이 시간이 흐르고, 이대로는 안 되겠다 싶었어. 시간 관리를 해보고 싶어 다이어리 한 권을 샀지. 우선순위를 정하고, 매일 할 일을 기록했어. 적어도 아이가 어린이집에 있는 시간만큼은 가장 중요한 일, 가장 원하는 일을 하고 싶었잖아.

무엇부터 하면 좋을까 생각하다 책을 읽기로 했어. 베스트셀러인 '역행자'를 시작으로 4개월간 서른 권 가까이 읽었지. 마치 독서만이 살길인 것처럼 치열하게 읽었어. 책을 통해 발견한 것을 남기고 싶어 블로그에 부지런히 글도 썼지. 고민에 대한 답을 찾을 때 '이게 책을 읽고 글을 쓰는 맛이구나!' 싶었어.

독서와 글쓰기를 우선순위에 두다 보니 스마트폰과 점점 멀어졌지. 얼마나 시간을 허투루 썼는지 반성했어. 언젠가 하루는 콩나물을 사러 가는 시간조차 아깝다 생각했잖아. 발을 종종거리며 마트에 갔던 기억에 웃음이 나네. 진작 이렇게 시간을 아껴 썼더라면 무엇이든 이룰 수 있겠다 싶어.

이제 와서 떠올리니 문득 네게 고마운 마음이 들어. 책을 읽고 글을 쓰며 내 생각을 세상에 꺼낼 용기를 냈잖니. 책장에 놓인 책을 보면 지원군을 얻은 것처럼 세상 든든해. 앞으로 어떤 어려움을 겪더라도 꺼내 볼 수 있는 '메이's 책 목록'이 생겼네.

지금처럼 성찰한 것을 자유롭게 글로 쓰면 좋겠어. 소중한 일을 먼저 하면서 원하는 모습을 꾸준히 만들어 갔으면 해. 그게 바로 내가 바라는 나다운 삶일 테니까.

2023년 8월 18일

그때 성실히 운동한 덕분일까. 별 탈 없이 임신과 출산을 해냈으니 말이야. 산후우울증으로 마음 아픈 것만 신경 썼네. 정작 고생한 내 몸에게 수고했다는 말 한마디 못 해주었구나.

좋아하는 일을 오래하려면

건강검진을 자꾸 미루는 너에게

건강검진 안내 문자를 받을 때마다 아차 싶은 마음이 들어. 빨리 받아야지 하면서 왜 매번 12월까지 미루는 걸까. 막상 병원에 가는 게 귀찮기도 하고, 혹여나 어디 안 좋다는 이야기를 듣게 될까 봐 겁이 나서 그랬지. 출산 후 한동안은 밥도 잘 챙겨 먹고 운동도 열심히 했어. 그런데 육아를 핑계로 점점 게을러졌네. 균형 있는 식사는 찾아볼 수 없고 자주 라면이나 빵으로 끼니를 때우곤 했잖아.

아이를 낳고 불어난 살을 보면 한숨이 절로 나와. 체중계 올라갈 때마다 언제쯤 임신 전으로 돌아갈까 싶었어. 땀을 흘리며 운동하는 모습은 상상 속에서만 있지.

최근에 몸이 주는 이상 신호를 무시했네. 30대에 직장 생활하며 무리했던 게 허리 통증으로 자주 오잖아. 임신 후기부터 지금까지 손목 통증은 '그냥 그러려니.' 하며 지나쳤고.

이렇게 지내 다가는 건강하게 나이 들고 싶은 바램과 점점 멀어질 것 같아. 지난주 친구의 건강 검진 결과 소식이 남 일처럼 느껴지지 않았어. 나는 어떤 검진 결과를 받게 될까 두려웠어.

기억해? 30대 후반에 필라테스에 푹 빠져 지냈잖아. 일주일 계획을 짤 때 운동시간을 가장 먼저 넣었지. 식단 관리는 얼마나 철저하게 했는지 초콜릿 한 조각까지 메모장에 기록했잖니. 얼마 전 우연히 그 때 적은 메모장을 발견하고는 내가 이렇게까지 철저히 관리했구나. '이렇게 다시 할 수 있을까?' 싶었어.

그때 성실히 운동한 덕분일까. 별 탈 없이 임신과 출산을 해냈으니 말이야. 산후우울증으로 마음 아픈 것만 신경 썼네. 정작 고생한 내 몸에게 수고했다는 말 한마디 못 해주었구나.

너무 애썼어 메이야.
이제 네 몸을 잘 챙겼으면 해. 건강해야 하고 싶은 일도 맘껏 할 수 있어. 좋아하는 일을 오래오래 했으면 해.

2023 년 8 월 23 일

이미 충분해. 다른 사람을 중심에 두지 않았으면 좋겠어. 그냥 네 모습대로 괜찮아.

넌 이미 충분해

내가 삶의 중심이 되고 싶은 나에게

살면서 내가 내 편이 되어준 적이 얼마나 있을까? 늘 눈치 보고, 기분 맞추느라 바빴던 것 같아. 내 말투나 행동 때문에 다른 사람이 신경 쓸까 촉각을 곤두세우곤 했어.

면전에서 직장 후배가 모든 게 내 탓이라고 비난을 퍼붓던 때, 난 그저 듣고만 있었지. 순간 마음에 여러 감정이 올라왔지만 참았잖아. 상사가 무조건 내 잘못이라며 다그칠 때도, 주위 사람마저 나를 일방적으로 나쁜 사람으로 몰아갈 때도 아무 말도 못했어. 집에 와 혼자 괴로워하며 자책했어.

그때는 왜 내 할 말 못하고 상대방을 먼저 배려했을까? 미움받고 거절당할까 봐 두려웠어. 다른 사람에게 좋은 평가를 받고 싶었어. 배려 잘한다는 말을 들으면 마치 좋은 사람이 된 듯했잖아.

언제부터 인가 누군가를 의식하는 일이 피곤하게 느껴졌어. 괜찮은 척 웃고 있는 모습이 싫었지. 모임에서 자리가 불편하면 적당히 핑계 대고 나오면 되는데 말이야.

"사람들 앞에 있으면 내 모습 중에 못난 것만 보이고 그냥 작아지는 것 같아. 사람들 시선을 생각하지 않고 다시 일을 시작할 수 있을까?" 친구에게 고민을 털어놓았어. 그때 혼란스러워하던 나를 일깨운 건 친구의 한 마디였어.

"넌 이미 충분해. 다른 사람을 중심에 두지 않았으면 좋겠어. 그냥 네 모습대로 괜찮아." 그때 정말 감동했지. 몇 년이 흘렀지만, 그 따스한 말이 아직 가슴속 깊이 남아 있어.

스스로 좋은 면을 보기 시작하니 비로소 다른 사람의 시선에서 벗어날 수 있었잖아. 동시에 나로 살아가는 삶에 대한 진지한 고민을 시작했지.

'나는 언제 행복한가? 나는 무엇을 하고 싶은가?' 와 같은 질문에 잠기곤 했잖아.

메이야, 세상의 중심에 너를 잃지 말고 살아가렴. 원하는 일이 있으면 주저하지 말고 한번 해보고 싶다고 소리 내어 말하자. 때론 두렵겠지만, 그 감정을 마주하고 그냥 해보는거야. 무엇보다 네가 네 편이 되어 묵묵히 가고 싶은 방향으로 동행해 주었으면 해.

2023 년 8 월 31 일

오늘은 어떤 날씨를 만났니

박지영

박지영(비추리) @vichury_coach

마흔이 되면서 용기 있게 나를 위해 살기로 했습니다. 아내, 삼 남매 엄마, 워킹 맘으로 나를 잃어버리고 살던 삶에서 다른 삶을 살고 싶어 졌어요. 글쓰기는 마음을 비추는 손전등이예요. 길을 잃은 순간마다 노트와 펜을 들었어요. 불안한 마음을 글로 쏟아내고 나면 이전에 알지 못했던 것을 알게 되었습니다. 우연히 만난 코칭으로 올해 입학한 국민대 대학원 리더십과코칭과정을 통해 코치의 삶을 이어갑니다.

살다가 힘든 날에
혼자 엉엉 울던 꼬꼬마 같던 너였는데….

어느새 한 뼘 자란 것 같아.
그래서 너 요즘 조금 멋져.

오늘은 어떤 날씨를 만났니

새로운 세상에 뛰어든 나에게

요즘 너를 보면서 '마당을 나온 암탉' 애니메이션에 나오는 잎싹이 같아. 양계장에 갇혀서 알만 낳는 삶이 아닌 알을 품고 싶어 마당으로 나가고 싶어 했던 잎싹이. 마당으로 나와서도 기대와 같지 않다는 사실에 실망하지 않고 새로운 세상에 뛰어든 의지 충만 낭만파 암탉.

계획이라고는 찾아볼 수도 없고 앞뒤 잴 줄도 모르는 너는 그저 마음 가는 일에는 온몸을 내던지는 자유로운 영혼이었어. 그런 네가 스물여섯부터 엄마가 되어 너의 이름은 고이 접어두고, 엄마로 아내로 워킹 맘으로 살았어. 서툰 것투성이에 불안하기만 했는데, 세 아이 씩씩하게 키우며 웃기도 하고 울기도 하고 철없는 엄마는 그렇게 어른이 되었던 것 같아.

결혼 후 지금까지 너를 위한 선택보다 가족을 위한 선택이 먼저였던 네가 이제 마흔이 되었어. 이전과는 다른 나의 삶을 살고 싶어서 새롭게 공부를 시작하고, 일도 해내며, 하루가 정신없이 지나간다고, 이야기하는 너를 보면 불평할 법도 하는데 그렇지 않더라.

“요즘 시간이 정신없이 빨리 가.”라고 말하는 너의 이야기가 콧노래로 들리는 건 왜 일까?

너 요즘 어딘가 변했어…. 언제부터였을까? 너를 보며 미소 지을 수 있게 된 게. 너를 걱정스럽고 불안한 눈빛으로 바라보던 나의 시선이 따뜻하게 변한 게 낯설기만 해. 아이가 어릴 땐 울면서 출근하는 날도 많았는데, 일하는 엄마로 살면서 전쟁 같은 사랑을 하고 있다고 외치던 너였는데. 대학원 생활로 더 힘들 텐데. 오히려 마음에는 여유가 느껴져. 너에게도 이런 날이 오는구나? 참 보기 좋아 비추리.

그래, 비추리
살아 있다는 건 살면서 만나는 날씨 같아.
일기예보로 예측이 되는 날도 있고
일기예보가 맞지 않아 당황스러운 날도 있고

내일은 어떤 날을 만날까 기대 되잖아?
나는 네가 만나는 날씨가 매일 화창하길 바라지 않아
바람이 부는 날 시원하게 바람 쐬기도 하고
흐린 날 분위기도 잡아 보고
비 오는 날 비가 그치고 우연히 만나는 무지개에
미소 짓기도 하고
눈이 펑펑 쏟아지는 날에는 눈사람도 만들고
다양한 날씨를 만나며 너의 이야기를 만들었으면 해

그래, 비추리.
살아 있다는 건 살면서 만나는 날씨 같아.
살다가 힘겨운 날에 혼자 엉엉 울던 꼬꼬마 같던 너였는데….
어느새 한 뼘 자란 것 같아.
그래서 너 요즘 조금 멋져, 비추리.
무엇보다 너와 사이가 좋아지고 있는 것 같아 보기 좋아.
앞으로 너를 기대해, 비추리.

2023년 6월 14일

사랑 많은 비추리

넌 분명히 따뜻한 엄마가 될 거야.

온도조절을 잘 할 수 있는 너의 방법을 찾을 거야.

너 답게 네 마음을 비추고 안아주며 가면 돼.

그렇게 너의 속도에 맞게 가면 돼.

세상에서 가장 따뜻한 엄마가 되어 줄게

조금씩 단단해지고 있는 자랑스러운 나에게

첫사랑 은율이가 태어나고 얼마 지나지 않아 쓴 일기에 적었던 다짐 기억나니? 그렇게 초보 엄마가 되었던 넌 6년이라는 시간이 흘러 하루에도 여러 번 너를 들었다 놨다 하는 세 아이의 엄마가 되었어. 의욕 넘치는 초보 엄마는 올망졸망 2살 터울의 세 아이를 키우며 행복해서 웃기도 하고 마음 같지 않아 혼자 우는 날도 많았잖아.

따뜻한 엄마가 되어 줄게 했지만 너도 만난 적 없는 따뜻한 엄마가 되는 방법은 무엇인지 몰라 막막하기만 했어.
문득 그날 아침이 생각나 아이를 유치원에 데려다 주고 돌아오는 길에 들려온 마음의 소리와 마주한 날.

“넌 왜 너를 그렇게 소름 끼치게 싫어해?”

예고 없이 마주한 마음의 소리에 깜짝 놀라 넌 그대로 얼어붙어 울음이 터졌지. 만신창이가 되어 있는 네 모습이 너무 가여워서 한동안 울음을 그칠 수가 없었어.

매일 세 아이 밥을 챙기고, 씻기고, 함께 시간을 보내며, 어미 새를 바라보는 새끼 새처럼 동시에 자기만 봐 달라고 매달리는 아이들에게 눈 맞추며 열심히 사랑을 준다고 했는데. 분명 애쓰고 있었는데. 정작 되고 싶은 따뜻한 엄마가 아닌 뜨거운 엄마가 되어 버린 것 같아 자책하고 있는 너에게 너도 애쓰고 있다고 그러니 미워하지 말라고 보다 못한 네가 너에게 SOS를 보낸 것 같았어.

그날부터였나 봐.
혼자 애쓰고 있는 너의 편이 되어주자 마음먹은 게.

네가 자랑스러운 건 그대로의 너를 사랑해 보기로 작정한 날부터 너의 마음을 들여다보고, 마음이 하는 이야기에 귀 기울이고 들어주고 그렇게 천천히 너와 친해지면서 조금씩 단단해지고 있다는 거야. 비추리. ‘따뜻한 엄마는 왜 그리도 되고 싶은 걸까?’ 싶은 질문에 답을 찾으며 오늘도 너의 길을 가고 있는 모습이 너무 좋다.

사랑 많은 비추리 넌 분명히 따뜻한 엄마가 될 거야.
온도조절을 할 수 있는 너의 방법을 찾을 거야.
너 답게 네 마음을 비추고 안아주며 가면 돼.
그렇게 너의 속도에 맞게 가면 돼.
널 믿어 비추리.
그리고 네가 나라서 자랑스러워 비추리.

2023년 6월 21일

며칠 전 모든 식구가 잠든 고요한 시간, 갑자기 쏟아지는 빗소리에 방을 다니며 열린 창문을 닫는데 곤히 잠든 구씨들을 보며 마음에서 몽글몽글한 게 올라왔어. 그래, 그대들은 나를 웃고 울게 하지. 좋은 엄마, 좋은 아내, 좋은 사람이 되고 싶게 하는 나의 사랑.

넌 언제 행복해

소소한 일상이 행복한 나에게

강사로서 교육장에서 "여러분이 행복을 느끼는 순간은 언제인가요?"라는 질문을 하기만 했지. 정작 너에게 질문하고 네 얘기를 들어 본 적이 없는 것 같아. 최근엔 앞에 놓인 일을 해치우기에만 정신이 팔려 너와 마주앉아 대화를 나눈 기억이 없어 내가 많이 소홀했구나 미안해.

"비추리, 넌 언제 행복해?"

며칠 전 모든 식구가 잠든 고요한 시간, 갑자기 쏟아지는 빗소리에 방을 다니며 열린 창문을 닫는데 곤히 잠든 구씨들을 보며 마음에서 몽글몽글한 게 올라왔어. 그래, 그대들은 나를 웃고 울게 하지. 좋은 엄마, 좋은 아내, 좋은 사람이 되고 싶게 하는 나의 사랑.

아이들 앞에선 장난꾸러기 엄마로 남편 앞에서는 철없는 모습으로 망가져도 마음 편한 든든한 네 편이 생긴 것 같아. 명품 가방 하나 없어도, 대단한 부자가 아니어도, 치킨 두 마리 먹는 날에는 신나서 몸을 흔들며 춤을 추는 귀여운 아들들 재롱에 웃으며 행복하다고 이야기하는 널 보니 기분이 좋아, 비추리.

하루 일정을 마치고 오후에 집에 들어와 베란다 정원에 멍하니 앉아, 햇살에 반짝이는 너의 초록 식물을 보고 '너무 예쁘다.' 혼잣말하며 연신 사진을 찍었잖아. 그때도 참 좋았어. 소소한 행복이 이런 거구나 싶어 마음이 편안하고 뿌듯했어.

'나에게 희망이 있을까?' 하며 꼬깃꼬깃 구겨진 채로 내일이 없는 사람처럼 무기력하게 살았는데. 소소한 일상에 사랑하는 사람들에게 맛있는 음식을 해줄 수 있어서, 좋아하는 일을 마음껏 할 수 있어서, 행복하다고 말해줘서 나 너무 좋다. 오늘 저녁 퇴근하고 집에 들어온 구씨님께 전해줘.
든든한 안전기지가 되어. 너를 빛나게 해줘 고맙다고.

2023년 6월 30일

이제 알잖아, 비추리.
넌 빨리 달리기보다 오래 달리기를 더 잘한다는 거. 넌 앞만 보고 달리는 것보다 달리는 풍경을 보며 달리는 걸 더 좋아한다는 거. 넌 앞서서 달리기보다 옆 사람과 함께 가는 걸 더 원한다는 거

꼴찌로 달리면 어때

뒤처지게 될까 봐 두려워하는 나에게

휴일에도 뭔가를 해야 할 것 같은 분주한 마음은 좀처럼 사그라지지 않아. 시간이 없다고 하면서 분주하게 일거리를 만들어 놓고 평온을 찾는 너를 보며 궁금했어.

'대체 이유가 뭘까?'
뒤처지게 될까 봐 두려운 거지? 아무것도 하지 않으면 뒤처지게 될까 봐. 그러다 영영 따라잡지 못하고 포기하게 될까 봐.

파란 하늘 만국기가 걸린 운동장에 "청군 이겨라. 백군 이겨라." 아이들 응원 소리와 "와!" 환호성이 뒤섞인 축제의 날 그날은 친구들과 준비했던 장기 자랑을 하고, 김밥도 먹는 즐거운 날이지만 세상에서 가장 싫은 달리기 때문에 가장 피하고 싶은 날이기도 했어.

개인 달리기 시간이 점점 다가올수록 네 얼굴은 흙빛으로 변해가고, 심장이 점점 더 빨리 뛰었지. 식은땀 나는 주먹을 불끈 쥐고 '호루라기 소리가 들리면 힘껏 달리는 거야!' 주문을 걸면서 잔뜩 상기 된 얼굴로 출발선에 서 있던 네 모습이 선명해. "삑!" 호루라기 소리를 듣자마자 냅다 달려도 너는 6년 내내 꼴찌 중의 꼴찌였어. 무리에서 비등하게 달렸으면 조금 덜 창피했을 텐데, 도저히 따라잡을 수 없는 거리에 허탈하고 맥 빠졌어. 지금이라면 크게 웃고 털어버릴 텐데 그때의 넌 부끄러운 자신을 탓하며 생채기를 냈어.

마음 상한 꼬맹이에게 무엇이 필요했을까? 어른이 된 내가 그때의 널 만날 수 있다면 결승점에 들어온 널 힘껏 안아주며 '끝까지 잘 달렸어.'라고 이야기해 주고 싶어.

이제 알잖아, 비추리.
넌 빨리 달리기보다 오래 달리기를 더 잘한다는 거.
넌 앞만 보고 달리는 것보다 달리는 풍경을 보며 달리는 걸 더 좋아한다는 거. 넌 앞서서 달리기보다 옆 사람과 함께 가는 걸 더 원한다는 거.

지금의 넌 뒤처지는 상황이 와도 즐기면서 갈 힘이 생겼잖아. 그러니까 더 이상 뒤처지게 될까 두려워하지 않았으면 좋겠어. 지금 너에게 중요한 건 빨리 달리는 게 아니라 오래 오래 달릴 수 있는 체력을 기르는 거야. 그러니 되고 싶은 모습만 생각하고 급하게 달리지 말자. 꼴찌로 달리면 좀 어때. 외롭지 않도록 내가 함께 달려줄게.

2023년 7월 5일

그때 넌 몰랐지? 네가 잘하고 있었다는 거.
지금 생각해도 대견해.
뾰족하고 모난 돌 같던 네가
어느새 동글동글 예쁜 돌멩이가 되다니.

뾰족하고 모난 돌에서 동글동글 예쁜 돌멩이로

지금도 생각하면 씩씩한 아기 엄마였던 나에게

"여보, 나 아침부터 뜨거운 시선을 한 몸에 받았어"

10년 전 세 아이를 데리고 소아과를 다녀왔던 날, 남편과 통화하던 모습이 생생하게 기억나. 막 돌이 지난 둘째 승율이는 등에 업고, 갓 태어난 막내 하율이는 안고, 5살 은율이에게 작은 가방을 메어주며 "은율아 엄마 잘 따라와"하며 예방접종 하러 다녀왔던 날 아침이었어.

병원에 도착해 접수하고 빈자리를 찾아 앉아 한숨 돌리고 있는데 어린 엄마가 고만고만한 아이 셋을 데리고 왔다며, 할머니의 한마디로 사람들 시선이 쏟아졌어. 힘들어 보이고 싶지 않아 여유 있는 척 웃으며 표정 관리를 했었잖아.

지금도 생각해 보면 참 씩씩한 아기 엄마였어. 그런데 애써 표정 관리를 하며 버겁지 않아 보이고 싶었던 이유는 뭐였을까? 잘하고 있다는 것을 누구에게 증명해 보이고 싶었을까?'

지금 생각해보면 내가 나에게 인정받고 싶었던 것 같아. 해야 할 일을 요리조리 미꾸라지처럼 빠져나가던 철없는 내가 엄마가 되면서 육아를 척척 감당하고 있는 모습이 낯설기도 하고 '나도 책임감 있는 사람이구나.'싶어 신기했어

아이 셋을 야무지게 잘 키운다는 칭찬이 처음으로 '나도 쓸모 있는 사람이구나.' 싶어 기분이 좋았고 그래서 잘 해내고 싶었어. 그래서 서툰 요리 실력의 초보 엄마는 책으로 이유식 만드는 법을 배우며 이유식 달인이 되었지.

세 아이와 복작거리며 어떻게 해야 할지 막막할 땐 책을 손에 들고 좋은 엄마가 되려 애썼던 것 같아. 지금 생각해도 너 정말 대단해. 어디서 그런 힘이 생겼을까 싶은 정도로 말이야.

그때 넌 몰랐지? 네가 잘하고 있었다는 거.
지금 그 때에 너를 바라보니 참 대견해.
뾰족하고 모난 돌 같던 네가
어느새 동글동글 예쁜 돌멩이가 되다니.

네가 원하는 모습으로 될 수 있다는 걸 스스로 증명해 왔잖아? 너와 나만 알고 있는 웃고 울던 16년의 시간이 사라지지 않고 네 곁에서 반짝이고 있는 게 느껴져. 너의 씩씩함이 지금까지 이어져 너의 삶을 살아내는 원동력이 되는 것 같아.
비추리, 이제 증명하려고 너무 애쓰지 않아도 되.
편안하게 너로 살기 바래. 넌 그럴 자격이 있어.

2023년 7월 24일

생각에 생각이 꼬리를 물면 크게 숨 쉬고,
떠오른 생각을 일단 적어.
적고 나서 하나씩 해낼 때마다 지우는거야.
천천히 한 번에 하나씩.

생각 사이를 헤매다

꼬리에 꼬리를 무는 생각을 멈추고 싶은 나에게

꼬리에 꼬리를 무는 생각으로 잠 못 드는 날이 많아지고, 두더지 잡기 하듯 불쑥 튀어나오는 생각 사이를 헤매다가 해야 할 일을 마치지 못하고 질질 끌고 가고 있어. 동시에 여러 일이 뒤죽박죽 생각나는 게 참 쉽지 않다. 그치?

마음먹고 앉아도 근질근질 신호가 오면 또 다른 일을 하는 나를 발견해. '이게 나지.' 싶어 씁쓸한 웃음이 나. '두루두루'가 아닌 '깊음'을 원하는데. 나의 바람과는 달리 호기심 천국이라 새로운 것에 생각이 가고 몸이 가.

분명, 이 모습도 나에게 있는 특별함인데.

요즘 생각 많은 내가 불편해. 불편하게 느끼는 이유는 뭐지? 어떤 모습을 원하는 거지? 뭐부터 시작하지? 유난히도 생각이 많은 나를 어떻게 하나 싶어 걱정스럽고, 다시 생각이 많아지네.

솔직해져 봐. 다 잘 해내고 싶은 거지? 어떻게 해서 여기까지 왔는데, 여기서 놓쳐 버리면 모든 게 원점으로 돌아갈까 봐 겁나는 거잖아. 다시 저 밑바닥으로 돌아가서 이도 저도 아닌 게 될까 봐.

비추리, 우리 잘 가고 있는 거지?
물어봐도 너는 묵묵부답이다.
스스로 찾으라는 얘기지?
비추리, 딱 한 번만 말할 거니까 잘 들어.
너는 끝까지 해낼 사람이야.
그러니까 너를 믿어줘.

생각에 생각이 꼬리를 물면 크게 숨 쉬고, 떠오른 생각을 일단 적어. 적고 나서 하나씩 해낼 때마다 지우는 거야.
천천히 한 번에 하나씩.

2023년 8월 14일

이제 기본을 갖추는 건 잣대를 들이밀며 옴짝달싹 못 하게 하는 게 아니야. 성장할 수 있게 밑그림을 그려주는 과정이야. 네가 가진 색깔, 목소리, 마음, 모두 모아 너만의 이야기를 만들었으면 좋겠어.

기본을 갖춘다는 것

기본을 갖춰야 한다는 나에게

"운동은 기본기가 있어야 해. 안 그럼 실력이 안 늘어. 기본이 되면 실력도 금방 올라가고 다치지 않아."
"지루해도 기본자세는 한 달은 연습해야 해."

신랑이 테니스를 가르쳐 줄 때 입버릇처럼 하던 이야기였어. 자유로운 영혼의 소유자는 반복하는 게 재미없고 어려워. 무표정하게 말하는 남편에게 콧방귀를 뀌었는데.

그러던 네가 어느 날부터 "기본을 갖춰야지"라고 이야기하고 있네. 기본을 갖추는 게 중요해진 이유는 뭘까? 너의 생각이 그만큼 많이 바뀌었다는 거겠지?

기본을 갖춘다는 것은 원하는 모습으로 갈 수 있게 하는 자신감과 진정성인 것 같아. 기본을 갖추기까지 그만큼 시간과 마음을 쏟았다는 거니까. 코치로 사람을 만나는 너에게 시간과 마음을 쏟으며 기본기를 갖춘다는 건 그만큼 내가 만나는 사람에게 도움이 되었으면 좋겠다는 마음과 함께 잘 해내고 싶은 마음을 갖고 있다는 거지?

이제 기본을 갖추는 건 잣대를 들이밀며 너를 옴짝달싹 못 하게 하는 게 아니야. 성장할 수 있게 밑그림을 그려주는 과정이야. 네가 가진 색깔, 목소리, 마음, 모두 모아 너만의 이야기를 만들었으면 좋겠어.

앞으로 적어 갈 네 작품이 기대된다. 비추리.

2023년 9월 28일

올해 코치로 살고 싶은 꿈이 생겼어.
가끔은 내가 원하는 모습이 될 수 있을까? 겁이 나.
목소리 큰 쫄보지만 잘해보고 싶어.

쫄보이지만 잘하고 싶어

뿌리 깊은 나무 같은 사람이 되고 싶은 나에게

갈대를 보면 꼭 나 같아. 바람이 불면 이리저리 흔들리잖아. 나는 끈기 있게 잘 못해. 의욕 앞세워 가다가 그때 그때 일어나는 상황에 따라 옆길로 새기도 하고 흐지부지 되. 그런 내가 싫어서 어느 날은 이렇게 기도했어.

'이리저리 흔들리는 갈대 같은 내 모습이 너무 싫어요.'
'세찬 바람에도 흔들리지 않은 뿌리 깊은 나무 같은 사람이 되고 싶어요.'

올해 코치로 살고 싶은 꿈이 생겼어. 코칭을 하며 공부를 하고 있지만 가끔은 내가 원하는 모습이 될 수 있을까? 겁이 나 의지를 갖고 일관성 있게 쭉 가고 싶은데 의지가 사그라질까 봐 걱정 되.

마음처럼 실력이 늘지 않고 제자리인 것 같아 기운 빠지는 날도 있지만 물러서고 싶지 않아. 목소리 큰 쫄보지만 잘해보고 싶어.

'어떻게 하면 이 마음을 지키고 갈 수 있을까?' 고민하고 있었는데. 어느 채널에서 이효리가 보컬 수업을 신청했다고 하더라.

"내가 지금부터 10년 동안 노래 연습하고 작곡 연습을 하면 정말 대단할 수 있겠다 생각했어요."라고 이야기를 하는 모습에 용기가 생겨 10년 후 내 모습을 그려봤어. 갑자기 에너지가 생기네. 그러고 보면 뭐든 생각하기 나름인 것 같아.

계산기 두드리면서 안 될까 봐 걱정하지 말고 겁먹지 말고 그냥 가는 거야. 비추리.

2023년 9월 10일

'나의 부족함을 모르고 하는 이야기일 거야.
나를 더 알면 실망하게 될지도 몰라.'
잘할 수 있을 거란 응원을 하면서 암막 커튼을 친 건 나였네.

가다가 또 넘어지더라도 귀엽게 봐 줄게

있는 그대로 인정해 주지 못해 미안한 나에게

"학교 간다고 대전에서 서울까지 갈 일이야?"
"학비도 비싼데. 그걸 배우면 돈이 돼?"

마흔이 되면서 나를 위해 살기로 마음을 먹고 첫번째 실행한 건 대학원 입학이였어. 아이 셋 엄마가 매주 토요일에 집을 비운다는 게 쉽지 않은 선택이었지. 고민은 시간만 늦출 뿐. 하고 싶은 것 망설이지 말고 일단 지르자. 생각 없이 던지는 지인의 미덥지 않은 말과 눈초리를 뒤로하고 비타민 구씨들의 응원을 받으며 용기내서 직진했어.

'내가 하고 싶은 일을 하자.'

그렇게 매주 토요일 새벽 기차에 몸을 싣고 서울을 오가며 낯선 곳에서 하루가 즐거웠어. 무엇이든 털어놓을 수 있는 안정감과 힘이 되어주는 25명의 동기를 만났고, 새롭게 배우는 모든 것이 즐거웠어.

"매주 토요일이 일주일 중에 가장 행복한 시간이에요." 이야기하며 1학기를 무사히 마친 너에게 수고했다는 말보다

'너 잘하고 있는 거 맞아?'

'이렇게 해도 되는 거야?'

'이게 최선이야?'

온갖 질문을 쏟아내며 몰아세웠어.

의기소침해진 너는 "비추리님은 항상 씩씩하게 에너지를 주는 사람이에요."라고 응원해 주는 말에도 "충분히 잘하고 있어요."라는 인정의 말에도 마음 한 구석에 그림자가 드리워졌어.

'나의 부족함을 모르고 하는 이야기일 거야. 아마 나를 더 알면 실망하게 될지도 몰라.'

그러고 보니 내 마음에 암막 커튼을 친 건 나였네.

'있는 그대로 인정해 주지 못해 미안해.'

'잘하고 있다고 말하면서도 미덥지 않게 생각해서 미안해.'

'마음 둘 곳 없이 외롭게 만들어 미안해.'

'이제야 알게 돼서 미안해.'

아무 일 없이 힘이 빠진 이유가 뭔지 왜 아무것도 하고 싶지 않은 건지, 나를 잘 안다고 자신만만했는데 내 마음 나도 몰라 답답하기만 했어. 어디서 넘어졌는지 모르고 딱지가 앉은 상처를 보고 언제 아물까 싶었는데. 딱지가 떨어졌어. 이제 시원해.
이제 알았으니 가다가 또 넘어지더라도 귀엽게 봐주자. 비추리.

2023년 8월 11일

나의 결핍이, 나의 부족함이 지금 나에게는 모두 약이 된 것 같아. 다른 사람에게는 쉬운 게 나는 왜 이렇게 힘들기만 할까? 원망스러웠는데. 상처가 아픔을 극복하게 했고, 다른 이의 아픔을 보게 했어. 덜컹거리는 하루하루 잘 버텨 단단하게 살아줘서 고마워.

다른 사람에게는 쉬운 게 나는 왜 이렇게 힘들까

덜컹거리는 하루하루를 잘 버텨 준 고마운 나에게

세상에 따가운 것 투성이라 더 이상 상처받고 싶지 않아 뾰족하게 반응하면서 날이 선 사람처럼 살았는데….

사실 마음 알아주는 따뜻한 한마디가 필요했어.
어릴 때부터 '내 생각을 이야기해도 될까?' 속으로 생각만 했어.
'바보같이 들리면 어떡하지?'하며 쉽게 내 이야기를 하지 못했어.

어린 시절에 불안했던 아이는 어른이 되어도 끊임없는 주위의 인정과 사랑을 갈구한다고 해. 나를 믿지 못했기에, 마음 둘 곳 없었어. 겉으로 아무 일 없어 보여도 언제 터질지 모르는 마음이 흘러가지 못하고 고여 있었어.

나의 결핍이. 나의 부족함이.
지금 나에게는 모두 약이 된 것 같아.
다른 사람에게는 쉬운 게 나는 왜 이렇게 힘들기만 할까
원망스러웠는데.
상처가 아픔을 극복하게 했고, 다른 이의 아픔을 보게 했어.

덜컹거리는 하루하루 잘 버텨 줘서 고마워.
단단하게 살아줘서 고마워.

2023년 8월 17일

너에게 진짜 중요한 건 뭐야?

하고 싶은 일을 오래하기 위해 나가서 달리자.

어깨에 곰 한 마리 올리고 사는 이유

나도 모르게 힘을 주고 산 나에게

“평소 몸에 힘을 많이 들어가는 편이시네요.”

“네?”

“평소 긴장해 생활하면 몸에 힘이 들어가 어깨나 목이 뭉치실 것 같은데.”

“…….”

‘어? 나도 모르게 긴장하는 편인데 어떻게 알았지?’

한의원 선생님이 나도 눈치채지 못했던 내 모습을 족집게처럼 알아맞혀서 위로 받았어.

어깨에 곰 한 마리 올리고 사는 듯한 묵직함의 이유가 이거였구나. 단지, 평소 자세가 좋지 않아서 몸이 힘든 신호로만 여겼는데. 의사 선생님의 이야기를 듣고 보니 마음이 편해야 몸도 편안함을 얻을 수 있는 것 같아. 마음과 몸은 뗄 수 없는 사이니까. 조금만 걸어도 숨이 차고, 식은땀이 났어. '체력이 많이 떨어졌구나.' 하면서도 나를 돌보지 못해서 미안해.

'운동을 해서 체력을 길러야지.' 마음만 먹고 다른 일에 에너지를 쓰고 나면 운동은 뒷전이야. '너에게 진짜 중요한 건 뭐야?' 하고 싶은 일을 오래하기 위해 나가서 달리자.

오늘은 무슨 바람이 불었는지 이른 아침 상쾌하게 눈이 떠져서
산책 다녀왔는데 기분이 어땠어?
시원하게 부는 바람에 몸도 마음도 상쾌했잖아.
그때의 기분으로 시작해 보자.

하고 싶은 거 다 해야지.
날아다닐 네 모습 상상하면서 달리는 거야. 비추리.

2023년 9월 8일

아무도 너의 슬픔에 관심 없대도 난 늘 응원해.

수고했어, 오늘도.

수고했어, 오늘도

충분히 해낼 수 있는 나에게

사랑하는 사람들과 살 부대끼고 살면서도 외롭고 서글픈 날이 있잖아. '세상에 온전한 내 편 한 명이라도 있으면 좋겠어'라는 생각을 한 날이 있었어.

8년 전, 아이를 유치원에 보내고 몸이 너무 무겁게 느껴져 침대에서 일어나지 못했던 날이 길어졌어 병원에 가도 특별한 병명이 없다고 하는데, 몸은 계속 아팠어. 그래서 비타민이라도 먹고 기운 차려야겠다 싶어 남편에게 조심스럽게 얘기를 꺼냈어.
"너무 비싼데. 그건 아닌 것 같아 지금." 남편의 대답에 당황스러웠어.

내 생각에도 몇 십만 원의 비타민 가격이 비싸게 느껴져 쉽게 꺼낸 게 아니었는데, 나에 대한 아무런 공감 없이 대꾸하는 걸 보며 이 사람은 지금 내가 얼마나 힘든지 모르는구나 싶었어. 세상에 내 편은 없구나 싶어 서운한 마음에 더 이상 이야기를 이어가지 못하고 서럽게 울기만 했어.

지금 생각해 보면 남편에게 나의 이야기를 하는 게 참 서툴렀어. 그냥 네 맘 내 맘 같다고만 생각했던 것 같아. 남편도 마음은 그게 아니었을 텐데. 우리가 다른 성향을 가졌다는 걸 알고 있으면서 마음이 힘들 땐 평소에 아무렇지 않은 일이 더 크게 다가오더라.

자기연민에 빠져서 허우적거리던 그날 밤, 잠이 오지 않아 뒤척이다 우연히 듣게 된 노래 가사가 마음을 두드렸어.

"아무도 너의 슬픔에 관심 없대도 난 늘 응원해."
"수고했어, 오늘도."

그 때 생각 했어. 함께 있어도 외롭고 서글픈 날은 온다.
이제 타인에게 내 편이 되어 달라고 구걸하지 않을 거야.
동동거림, 누구보다 애쓰고 있는 거. 네가 더 잘 알잖아 그 때의 상황을 돌아보면 나는 몸이 아픈 것 보다 다른 사람과의 관계 때문에 상처 입은 마음이 더 아팠어. 그런데 남편까지 내 마음을 공감해 주지 못한다고, 내가 보고 싶은 것만 보고, 내가 생각하고 싶은 대로 해석하며 동굴속으로 들어 갔어.

지금은 시간이 지나 남편과 그때 일을 웃으며 이야기 할 만큼 여유가 생겼고, 삶을 바라보는 시선도 달라진 것 같아.
지금까지 어려움이 있어도 훌훌 털며 잘 왔으니. 다른 장애물이 나타나도 잘 넘어 갈수 있을꺼야.

비추리, 너의 빛나는 순간은 이미 시작되었어.
너에겐 네가 원하는 것을 해낼 충분한 힘이 있어.
그러니 너를 믿으며 가

2023년 9월 19일

나를 위해 용기를 내야 할 때

이은혜

이은혜(새벽별) https://blog.naver.com/csvalueup

하루 끝, 밤 산책을 좋아해요. 밤에 만나는 봄 아카시아 향, 여름 풀벌레 소리, 가을의 낙엽, 겨울 첫눈 밟기. 듣기만 해도 설레고 마음이 따뜻해지는 글을 쓰고 싶어요. 내 자신을 돌보지 못했다는 자책감에 나를 위해 글을 쓰기 시작했어요. 제 글이 하루를 보내고 난 뒤 당신을 따뜻하게 안아주고 어깨를 토닥토닥 해주듯 위로하는 글이 되길 바래요. 고민이 많은 밤 새벽별을 마주하듯 제 글이 당신 옆에 있을 거예요.

피할 수 없을 때 즐기라고 하던데 나는 사실 못 즐기겠더라. 즐기지는 못해도 내가 할 수 있는 최선을 다해 해결해 보려고 했고 모든 것들을 쏟아내며 버텼잖아? 버티고 나니까 어때? 그 당시에는 지쳐서 쓰러질 거 같은데 그 시간을 견디고 버틴 만큼 단단해지지 않았니?

꽃길이 아닐지라도

앞으로 나아갈 나에게

살아 있다는 건 나를 찾아가는 순간 순간의 합인거야. 피할 수 없을 때 즐기라고 하던데 나는 사실 못 즐기겠더라. 즐기지는 못해도 내가 할 수 있는 최선을 다해 해결해 보려고 했고 모든 것들을 쏟아내며 버텼잖아?

버티고 나니까 어때? 그 당시에는 지쳐서 쓰러질 거 같은데 그 시간을 견디고 버틴 만큼 단단해지지 않았니? 파도가 치고 바람이 불어도 끄떡없는 나무처럼, 돌처럼, 다시 비슷한 파도가 치더라도 지금 보다 더 잘 버텨낼 힘이 생겼잖아. 사람이 성장하는 건 기쁜 일뿐만이 아니라 슬픔과 분노의 시간이 필요해.

살아가는 동안 꽃길만 걷고 싶은데 가시 길도 많잖아. 그러다 일상의 평범한 행복을 맞이했을 때 얼마나 달고 기쁘던지. 등산 뒤의 물 한 모금이 달고, 더운 여름 철 에어컨 앞이 그렇게 시원 할 수가 없잖아. 우리가 행복, 기쁨, 감사를 느끼는 건 나의 그림자 같은 순간들이 있기 때문일거야. 빛과 그림자에 따라 오늘은 낮이었다 내일은 짙은 밤이 오고, 어느 날은 별이 반짝이는 새벽이 오지. 그래서 살아 있다는 건 행복한 거야. 결국 나는 나의 행복을 위해 움직이고 살아갈 테니까.

살아가며 만나는 '나'는 무슨 색이고, 몇 가지의 모습일까?
지금까지 만난 나는 그게 다일까? 아닐 거야.
그래서 두렵기도 하고 기대되기도 해.
내가 좋아하고 싫어하는 모습들도 결국은 다 '나'니까.

다양한 상황에서 여러 가지 빛과 색을 내는 나를 기대해보자. 조금 더 단단해진 만큼 앞으로의 나도 더 멋지게 빛날 수 있겠지. 새로운 나, 멋진 나, 어떤 상황에서도 나를 잃지 않는 나.

내가 더 나다워질 수 있도록 나에게 많은 시간을 주고 보듬어 주어야지. 살아간다는 건 나를 찾고 중간중간 쉴 수 있게 따뜻하게 보살펴 주는거지. 내가 나를 사랑하고 존중하는 만큼 나를 더 담대하게 받아들일 수 있을 테니까. 그러니 새롭게 발견되는 나를 두려워하기 보다는 기꺼이 반가워하자.

반가워, 내 삶아.
반가워, 새로운 나야.
'나 참 멋지다, 그렇지?' 라고 으쓱하는 순간들이 분명 있을 거야.

2023년 6월 11일

내 가치는 '남'이 판단하는 게 아닌데 남의 눈에 나를 맡기지 말자. 내가 나를 사랑스럽게 자랑스럽게 보아주자. 내가 나라는 사람의 가장 오래된 '팬'이니까.

안티팬과 열성팬

나의 '팬'이 되고 싶은 나에게

'참 자랑스러워! 새벽별아!' 라고, 스스로에게 말한 적이 언제였지? 다행히도 움츠려 있을 때 나에게 사랑스럽다 말해주던 동료가 있었고, 나 스스로 힘든 순간에도 "새벽별님, 멋져요!" 라고 말해주는 이도 있었잖아. 힘든 일도 시간이 지나고 묵묵히 해내고 보니 보람되고 뿌듯한 경험으로 남았지. 혼자서 6시간이 넘는 교육과정을 만들고 이틀 내내 발이 부르트도록 강의하고 난 뒤 어떤 걸 느꼈니?

나 참 대단하고, 멋지고 이걸 해낸 순간이 행복하다고 느꼈잖아. 마음속 콧대가 우뚝 솟아났었지. 내가 자랑스럽게 느껴지는 시간과 순간들이 분명히 있었잖아. 그래서 지금의 내가 있는 거고. 오늘도 나한테 "강사님, 팬이에요." 라고 말해주는 사람도 만나서 얼마나 우쭐하고 기뻤니?

내가 그동안 해냈던 일들을 누군가가 지켜보았고 멋지다고 팬이라고 격려해 줬잖아. 생각해 보니 나는 내 '안티팬'이었던 것 같아. 요즘의 나는 참 멋없다고, 나답지 않다고, 별로라고 생각했잖아. 이제 안티팬 말고 진짜 팬, 열성 팬이 되어주자. 내가 나를 사랑하고 멋지다고 예쁘다고 자랑스럽다고 치켜세워줘야지! 왜 나는 남의 시선과 칭찬에만 목말라했을까? 내 가치는 '남'이 판단하는 게 아닌데 남의 눈에 나를 맡기지 말자. 내가 나를 사랑스럽게 자랑스럽게 보아주자. 내가 나라는 사람의 가장 오래된 '팬'이니까.

새벽별아, 네가 잘되길 바래. 너의 모든 걸음걸음마다 함께 보아오고 걸어온 내가 보장해! 그 누구보다 열심히 했고, 그 누구보다 치열하게 살아왔다고!

휘청이는 순간이 와도, 잠시 휴식이 필요해 숨어도 나를 기다리고 컴백하는 그날까지 응원하다 컴백하는 날 누구보다 먼저 손을 흔들며 반겨줄꺼야. 응원해, 새벽별아! 24시간 365일 그 누구보다 너를 아끼고 자랑스러워하는 팬이.

2023년 6월 18일

행복, 기쁨, 편안, 따뜻함, 소중함, 따뜻하고 마음의 안정감이 드는 감정들이 가득했으면 좋겠어. 결국 사람도 상황도 쉽게 바뀌지 않잖아. 그나마 바꿀 수 있는 건 내 마음이니까. 내 마음을 내가 챙겨야지.

온전히 나를 느끼는 시간

겨울을 좋아했던 나, 여름밤을 좋아하게 된 나에게

어렸을 때 겨울에 따뜻한 이불 속이 참 좋았어. 귤 한 바구니 옆에 끼고 손톱이 노랗게 물들 때까지 까먹었지. 언니와 함께 보던 만화책도 엄마 아빠 몰래 이불 뒤집어쓰고 본 텔레비전도 그때 추억들이 소소하게 생각나. 겨울의 따뜻함이 좋았던 나는 이제 한여름 밤을 좋아해.

길어진 하루와 천천히 노을 지는 하늘이 이제는 소중하게 느껴져. 아름답게 물들다 도시의 불빛으로 밝혀지는 밤. 동네 밤 산책을 하면서 만나는 담장의 장미, 아카시아 향, 이름 모를 풀벌레 소리. 좋아하는 음악을 수도 없이 반복하며 듣지. 나를 위해 정성껏 만든 저녁을 먹고 달달한 디저트에 커피 한잔하면서 좋아하는 책을 읽지. 그 순간 몰입해 온전히 나를 느끼는 시간이 참 행복해. 평온하고 편안해. 그러다 가끔 바다를 보러 멀리 여행을 떠나. 그때 만나는 다양한 순간들이 '내가 이런 걸 좋아하는구나?' 하며 새로운 나를 발견하지.

난 바다가 참 좋더라. 한없이 펼쳐진 바다를 바라보고 있으면 나도 모르게 한참을 바라보게 돼. 멍하니 바라보며 감상에 젖기도 하고 여행지에서 산 책 뒤편에 여행 일기를 쓰지. 그러곤 나만의 추억을 내 방으로 가져오는 거야. 책꽂이에 꽂아두고 문뜩 여행이 가고 싶을 때 꺼내 보게 되더라고. '맞아. 이때 이런 감정을 느꼈었지?' 행복, 기쁨, 편안, 따뜻함, 소중함, 따듯하고 마음의 안정감이 드는 감정들이 가득했으면 좋겠어. 결국 사람도 상황도 쉽게 바뀌지 않잖아. 그나마 바꿀 수 있는 건 내 마음이니까. 내 마음을 내가 챙겨야지.

행복한 나, 삶을 잘 꾸려가는 나. 여름의 앞자락에서 내가 좋아하는 여름을 한껏 즐겨보자!

2023년 6월 26일

두려울 때 나는 도망치거나 숨고 싶지 않아. 숨을 크게 한번 고르고 난 뒤 그 상황을 담대하게 맞이하고 싶어. 그리고 알고 있잖아. 나를 소중하게 생각해 주는 사람들이 있고 나를 필요로 하는 곳이 있어. 새벽별아, 혼자가 아니야

상상만 해도 두려워질 때

혼자 남겨질까 봐 두려운 나에게

새벽별아, 애써 웃으면서 보내지만 사실 혼자서 외롭게 보내진 않을까? 그 어떤 곳에서도 필요 없는 사람이 되진 않을까 두렵지? 그래. 두려운 게 맞고 그런 일들을 마주할 때도 있지. 그럴 때 심장이 덜컥하고 내려앉았잖아. 이상하게 작은 시그널 하나만으로도 내가 두려워하던 순간으로 돌아가는 듯했어. 앞으로도 그런 일들이 생길 수 있겠지. 그럴 때 나는 어떻게 해야 할까? 상상만 해도 두려워져.

두려울 때 나는 도망치거나 숨고 싶지 않아. 숨을 크게 한번 고르고 난 뒤 그 상황을 담대하게 맞이하고 싶어. 그리고 알고 있잖아. 나를 소중하게 생각해 주는 사람들이 있고 나를 필요로 하는 곳이 있어. 새벽별아, 혼자가 아니야. 언제든 슬픔을 위로해 주고 기쁨을 함께하는 친구가 있잖아. 너는 네 몫을 해내는 사람이야. 깜깜한 밤 어디로 가야 할지 모를 때, 밤하늘의 별을 보며 길을 찾는다고 하잖아.

너의 이름 새벽별처럼 너 안에 답이 있고 길이 있어. 그 길을 천천히 밤 산책하듯이 걸어가자. 꼭 길이 있을 거고 원하는 목적지에 도착할 거야. 그 길이 혼자라는 생각이 들지 않게 내가 곁에 있을게. 나는 새벽별 네가 꼭 필요해.

2023년 7월 2일

불안해서 울기도 하고 절박함에 말도 안 되는 돈을 받으며 시간과 에너지를 썼지. 참 바보 같았어, 그렇지? 아니, 바보가 아니라 그때 너는 절박했기에 작은 기회조차 간절했지. 여유는 없고, 넘어지지 않기 위해 얼마나 힘에 부쳤을까.

동굴에서 나오는 방법

지금도 생각하면 토닥이고 싶은 나에게

예전에 서울로 올라왔을 때가 떠올라. 전 회사에서 퇴사하고 한동안 헤맬 때 다시는 여기 오지 않을 사람처럼 짐을 싸서 서울로 왔지. 3평 남짓한 고시원에 다 같이 쓰는 화장실과 욕실. 강사 자격증은 땄는데 3개월 동안 어디 하나 내가 강의할 곳이 없었잖아. 불안해서 울기도 하고 절박함에 말도 안 되는 돈을 받으며 시간과 에너지를 썼지. 참 바보 같았어, 그렇지? 아니, 바보가 아니라 그때 너는 절박했기에 작은 기회조차 간절했지. 여유는 없고, 넘어지지 않기 위해 얼마나 힘에 부쳤을까.

사는 게 쉽지 않아. 좀 괜찮아졌나? 싶으면 어느새 주저앉고 싶은 일이 생기잖아. 그럴 때는 끝도 없이 동굴 속으로 들어가지.

동굴 속은 어때?
아늑해?
어두워?
외로워?
아무 말 안 해도 괜찮아.

앞으로 내가 손 잡아줄게. 따뜻하게 손 잡아주다가 새벽별 네 마음이 나아지면 어깨를 토닥토닥 두드려 주고, 다시 일어나고 싶을 때 함께 동굴에서 나올게. 오랜만에 나와서 눈이 부시면 손으로 해를 가려줄게. 바람이 불면 피할 곳으로 너를 데려갈 거야. 걱정하지 마. 지금도 그때도 네 옆에 내가 있고 든든히 곁에 있을 테니까. 토닥토닥.

2023년 7월 7일

나도 참 그래. 왜 그렇게 일어나지 않은 일을 미리 걱정하는 걸까? 사서 고생한다는 말이 딱 맞아. 굳이 찾고 찾아서 한가득 고민을 안고 잠자리에 들잖아. 이제는 쓸데없는 걱정 고민은 멈추자. 그 대신 다른 걸 채워 넣어보자. 희망, 설레임, 기대감, 꿈, 행복, 미래와 같은 단어들로.

바닥을 찍으며 알게 된 것

이제 걱정을 멈추고 싶은 나에게

나도 참 그래. 왜 그렇게 일어나지 않은 일을 미리 걱정하는 걸까? 사서 고생한다는 말이 딱 맞아. 굳이 찾고 찾아서 한가득 고민을 안고 잠자리에 들잖아.

"분명히 그렇게 될 거야. 그러면 나는 어쩌지!"하며 밤을 지새우지. 왜 그러는 거야! 이제는 쓸데없는 걱정 고민은 멈추자. 그 대신 다른 걸 채워 넣어보자.

희망, 설레임, 기대감, 꿈, 행복, 미래와 같은 단어들로. 너를 가슴 뛰게 하는 것들로 말이야.

요즘 위축되고 이런 저런 일로 멈칫했었지? 내 자신을 의심했어. 못 할거라고. 그러지 말자. 과거를 돌이켜봐도 너는 잘 해냈고 그 안에서 너의 것을 찾아내는 힘이 있잖아. 걱정과 고민을 멈춘 나는 어떤 모습일까?

환하게 웃는 모습이 떠올라. 좋아하는 사람들 사이에서 내가 좋아하는 일을 하고 즐거운 대화를 나누는 모습. 상상만 해도 즐겁다. 그치? 그렇게 살고 싶어.

내일이 기다려지고 기대되는 사람. 그런 사람이 되고 싶어. 걱정과 고민으로 나를 세워서 멈춰놓고 '이대로 사는 거 괜찮아? 너 만족해?'마음 속 깊이 '이건 아니야!' 라는 외침을 들었어. '그래서 내가 원하는 게 뭐야?' 라며 물었지. 덕분에 나는 진짜 원하는 삶을 되찾았어. 그래서 내가 바닥을 찍었나 보다 싶어.

2023년 7월 14일

내가 좋아하는 내 모습은 순수하게 깔깔 웃는 얼굴, 주변 사람들과 이런저런 이야기하며 행복해하는 모습이잖아. 행복한 어른이 되자. 발랄한 할머니가 되어야지. 나는 그런 행복한 어른이 되어야지.

어른이어도 발랄하고 싶어

어른의 모습을 보여줘야 한다는 나에게

시간이 참 빨라. 아직 나는 30대 중반이 아닌 거 같은데, 내 생각도 마음도 아직은 큰 거 같지 않아.세상이 보는 나는 벌써 30대 중반의 어른이더라구. 어디서 내 나이를 이야기하고 나면 확 어깨와 마음이 무거워지더라. 왠지 원래 내 모습을 보여 주는 게 철없어 보이기도 하고, 나잇값을 못 하는 거 같아서 좀 쑥스럽기도 해. 이 나이 먹고 왜 이렇게 현명하게 대처하지 못했는지. 감정조절을 왜 못하는지. 채찍질하기도 했잖아.

나이가 주는 무게감이 남들 눈에 맞게 보여줘야 하나 부담됐어. 그런데 어쩌겠어. 생각해 보니 그건 사회가 만든 30대 중반의 어른일 뿐. 내가 아니잖아.

나는 아직도 깔깔 웃을 때 진짜 웃는 것 같고 아이돌 음악을 들으면 아직도 신이 나. 힘든 일 있을 때는 주변 사람들에게 하소연도 하고, 울기도 해. 그게 나더라. 당연히 나이를 먹은 만큼 내 안에 지혜가 쌓이고 나를 더 단단하게 만들어야겠지. 나만의 순수하고 발랄한 모습을 남겨두고 아껴줘야지. 꼭 어른스럽게 행동하고 말할 필요 있나?

내 모습, 내 행동, 내 말이 상대에게 상처 주고 힘들게 하지 않는다면, 어른이어도 발랄하고 싶어.

내가 좋아하는 내 모습은 순수하게 깔깔 웃는 얼굴, 주변 사람들과 이런저런 이야기하며 행복해하는 모습이잖아. 행복한 어른이 되자. 발랄한 할머니가 되어야지. 나는 그런 행복한 어른이 되어야지. 그래! 그동안 내가 부담을 느끼던 어른은 내가 아니었어. 얼마나 마음이 가벼운지! 행복하자, 새벽별. 너는 멋진 어른이 될 거야.

2023년 7월 21일

봄에는 따뜻한 햇살 벚꽃을 맞이하고, 여름엔 계곡물에 발 담그고, 가을의 청명한 하늘을 바라보며 낙엽을 밟고, 겨울엔 눈 내리는 창가를 바라보고 따뜻한 핫초코 한잔에 기쁨과 웃음, 행복이 가득한 하루를 보낼거야.

어깨 힘을 뺀 하루

즐겁게 웃는 하루를 보내고 싶은 나에게

이상하게 잘 보이고 싶고, 잘 해내고 싶을 때 어깨에 힘이 잔뜩 들어가잖아.

그럴 때 어깨를 손으로 풀어주며 마음을 다독였어. 요즘엔 예전에 들었던 "새벽별은 참 밝아."라는 말을 듣고 싶어. 어제오늘 들은 "사랑스러워."라는 말을 계속 듣고 싶어. 내가 좋아하는 내 모습이 사랑 넘치고 잘 웃고 하루를 즐겁게 보내는 거였어.

그동안은 새벽의 밤을 걷는 나날이었다면 이젠 따뜻한 햇살을 받으며 풀밭을 거닐고 싶어. 작은 바람에 흩날리는 머리와 옷자락에 기분이 좋아지고 나무 아래 그늘이 시원해서 괜히 나무에 기대어 눈을 감고 쉬는 그런 기분. 장난기 넘치고 작은 거에도 까르르 웃는 내 얼굴이 난 좋아.

좋아하는 음악을 듣고 좋아하는 사람과 별거 아닌 주제로 수다를 떨면서 소소하게 웃고 싶어.

봄에는 따뜻한 햇살 벚꽃을 맞이하고, 여름엔 계곡물에 발 담그고, 가을의 청명한 하늘을 바라보며 낙엽을 밟고, 겨울엔 눈 내리는 창가를 바라보고 따뜻한 핫초코 한잔에 기쁨과 웃음, 행복이 가득한 하루를 보낼거야.

2023년 7월 28일

그러니까! 나는 '호구'를 자처하고 있었던 거야. 왜 그랬을까? 그 관계가 망가질까 봐. 나에 대한 호감이 줄어들까 봐 무서워서 그런 거잖아.

모든 사람에게 호감 받을 필요 없어

나를 존중해주지 못해서 미안한 나에게

예전에 한 동료가 말했어. "선배는 선배가 가진 위치와 힘을 못 쓰는 거 같아"

다른 친구는 말했지. "새벽별아, 너를 가치 있게 바라봐 주는 사람을 만났으면 좋겠어" 듣고 나서 머리가 띵하고 마음이 싸하게 가라앉더라. 내가 존중 받지 못하는 상황에서 나는 애써 웃고 그 상황을 좋게 넘어가려 했어. 나를 존중하고 가치 있게 대하지 않는 사람들에게도 굳이 웃으며 좋은 게 좋은 거라며 넘어갔지.

그런데 누가 그러더라 "그걸 우리는 호구라고 부르기로 했어"라고.

그러니까! 나는 '호구'를 자처하고 있었던 거야. 왜 그랬을까? 그 관계가 망가질까 봐. 나에 대한 호감이 줄어들까 봐 무서워서 그런 거잖아. 이제 그러지 말자. 내 감정과 가치를 알아줘야 네 목소리에도 힘이 실리지. 내가 상대를 존중하는 만큼 나를 존중해 주자. 내가 나를 지켜주고 가치를 알아봐 줘야지. 이젠 너를 믿고 당당히 목소리를 내봐.

너는 당연히 그럴 가치가 있는 사람이야. 세상에 하나밖에 없는 반짝반짝한 내 친구.

2023년 8월 4일

포기하고 싶을 때 마지막 그 찰나의 순간을 잘 버텨줘서. 포기하지 않고 시간을 버텼기에 오늘 하루 웃으며 보내는 내가 있을 수 있었어. 고마워. 끝까지 믿어줘서. 고마운 너에게 부탁할게. 앞으로 울지 말고 웃는 일만 웃게 해주는 사람하고만 있어줘. 너를 곡 지켜주고 대변해줘. 그리고 너의 풍요롭고 행복한 삶을 잘 꾸려가줘.

모든 문제는 시간이 해결해 준다

그럼에도 불구하고 잘 버텨준 나에게

새벽별아, 올해 참 마음이 아프고 힘들었지? 지금 생각하면 끝날 것 같지 않은 그 긴 시간을 어떻게 버텨냈는지 참 대견하고 놀라워. 그 시간 안에 있을 때는 많이 울기도 하고 포기하고 싶고 지치기도 했잖아. 그땐 그 상황에 빠져서 허우적거렸지. 근데 이번에 알게 됐잖아.

모든 문제는 시간이 해결해 준다는 걸.

나라는 사람의 본질은 그대로야. 정말 시간이 흘러 상황이 변했고, 본래의 건강하고 밝은 나로 돌아오는 중이야. 고마워. 새벽별아. 포기하고 싶을 때 마지막 그 찰나의 순간을 잘 버텨줘서. 포기하지 않고 시간을 버텼기에 오늘 하루 웃으며 보내는 내가 있을 수 있었어. 고마워. 끝까지 믿어줘서.

너에게 부탁할게. 앞으로 울지 말고 너를 웃게 해주는 사람하고 있어줘. 그리고 풍요롭고 행복한 삶을 잘 꾸려가 줘. 아침 햇살이 가득 들어오는 꿈꾸던 집에서 책 한 권 꺼내는 모습. 운동하며 건강하게 몸을 챙기고 비싸진 않지만 취향이 잘 드러나는 옷으로 너를 가꾸었으면 해. 너의 집엔 네가 좋아하는 물건들이 곳곳에 있기를.

너를 볼 땐 사랑스럽게 웃는 모습이기를 내가 간절히 바랄게. 사랑하고 많이 고마워. 고마운 너를 내가 아껴줄 거야. 앞으로의 시간들이 웃음 가득하기를.

2023년 8월 11일

건강한 몸에서 건강한 마음이 깃든다고 하잖아. 스트레칭 할 때 몸을 유연하게 풀어주고 본 운동에서는 중심을 잡는 코어 근육을 키워주는데 그게 마음에도 해당되더라. 마음이 여유로울 때는 체력이 받쳐 줄 때였어.

여유가 없을 때 체력부터 길러

나의 몸을 아끼는 시간이 필요한 나에게

바쁘다는 핑계로 운동을 안 한 지 1년이 다 되가. 꾸준한 운동으로 올바른 자세와 건강한 몸으로 지낸 시간이 멀게만 느껴져. 건강하게 내 몸을 관리하고 운동을 해야겠단 마음을 먹고 발레핏을 등록하고 간 첫날.

'아… 내 몸이 많이 망가져있구나. 내가 그 동안 나를 돌보지 못했구나.' 하고 탄식이 나오고 말았지. 간단한 스트레칭 동작도 따라하지 못하고 '헉!' 소리가 나오는 내 모습을 보면서 후회도 되고 부끄럽기도 했어. 60분이라는 시간을 지도에 따라 움직이고 땀을 흘리면서 보내고 끝났다는 소리와 함께 "수고하셨습니다."라고 인사했는데 몸은 힘들어도 마음이 그렇게 개운하고 풍요롭더라.

1년 만에 내 몸을 위한 시간을 가졌고 드디어 첫 시작을 해냈다는 뿌듯함이 밀려왔어. 건강한 몸에서 건강한 마음이 깃든다고 하잖아. 정말이더라고. 그 동안 건강하지 못한 몸을 끌고 바쁜 일정을 소화해내던 나는 소화하지 못해 탈이 잔뜩 나버렸었어. 탈난 상태로 꾸역꾸역 버티다 보니 마음도 탈이 나버렸지.

스트레칭 할 때 몸을 유연하게 풀어주고 본 운동에서는 중심을 잡는 코어 근육을 키워주는데 그게 마음에도 해당되더라. 마음이 여유로울 때는 체력이 받쳐 줄 때였어. 앞으로 몸을 가꾸면서 내 마음도 유연하고 중심을 잘 잡는 사람이 되고 싶어. 코어근육이 탄탄해서 발레동작을 우아하게 해내는 내 모습을 상상하면 저절로 미소가 지어져.

새벽별 그 뿌듯한 미소를 띤 채로 내 소중한 몸 건강하게 잘 가꾸어 나가자.

2023년 8월 18일

내가 내 편이 되어 준다는 거 정말 멋진 말이야. 순간 나한테 떠오른 건 '용기'라는 단어더라. 내가 억울하거나 속상할 때 내 편이 되어 말해주는 사람이 있으면 했고, 내가 빛나는 순간엔 나보다 더 기뻐해줄 사람이 있으면 좋겠다 했어.

나를 위해 용기를 내야 할 때

내가 내 편이 되어주기 위해 용기가 필요한 나에게

내가 내 편이 되어 준다는 거 정말 멋진 말이야. 순간 나한테 떠오른 건 '용기'라는 단어더라. 내가 억울하거나 속상할 때 내 편이 되어 말해주는 사람이 있으면 했고, 내가 빛나는 순간엔 나보다 더 기뻐해 줄 사람이 있으면 좋겠다 했어.

이렇게 쓰고 보니 결국 나는 내가 아닌 타인에게 기대했나 봐. 그래서 생각처럼 되지 않을 때 실망하거나 속상하기도 했어. 이젠 내가 나를 위해 '용기'를 내야 할 때야. 억울할 때 소리 내어 말하고, 기쁜 일 생겼을 때는 나를 위해 작은 선물 하나라도 사주자.

'용기'라는 단어가 떠오른 건 그동안 내가 내 편 드는 걸 주저하고, 두려워하고 있었다는 뜻이잖아. 왜 그랬을까? 아마 나보다는 '남' 중심으로 생각하고 눈치를 보고 있었나 봐. 내가 이렇게 말하면 나를 어떻게 볼까? 내가 빛나는 순간에 겸손하지 못하면 뒤에서 욕먹을까 봐 애써 내 빛을 '겸손'이라는 말로 줄였잖아.

앞으로는 용기를 내자. 새벽별 너를 제일 잘 알고 너의 노력을 누구보다 오랫동안 지켜본 사람이 바로 나잖아.

앞으로는 누군가 가슴을 내어줬으면 할 때 편하게 나에게 기대고 의지해. '밥은 먹었어? 커피 한잔 할까?' 내게 말을 걸어주자. 네 마음이 따뜻했던 그때처럼.

2023년 8월 25일

눈치 보지 않고 살고 싶어

이승현

이승현(시작) https://blog.naver.com/moment_201707

15년 차 직장인이자, 사색하는 것을 좋아하는 내향형인 사람입니다. 타인의 인정과 칭찬에서 벗어나, 마음의 평화를 얻고 싶어 글을 쓰기 시작했습니다. 글을 쓰며 새로운 나를 발견하고, 위로 받았습니다. 앞으로도 나무에 물을 주듯 글을 쓰며 글과 함께 성장하고 싶습니다. 제가 쓴 글이 누군가에게 공감과 힘이 되어 줄 수 있었으면 합니다. 제가 받은 위로를 함께 하고 싶습니다.

살아있다는 건 말 그대로 무엇인가 하지 않아도 완성되는 문장이야. 숨 쉬는 것만으로 살아있음을 확인할 수 있거든. 나는 먼 미래가 아니라, 지금 여기 살고 있어.

살아있다는 건 지금

불안해하는 나에게

살아있다는 건 불안과 불만의 연속이야. 회사에서 바쁠 땐 무슨 부귀영화를 누리겠다고 이렇게 아등바등 사나 넋두리하고, 바쁘지 않을 땐 지나가는 동료의 말 한마디에 상처받았어. 가끔 이유 모를 소외감에 위축되기도 했어. 그렇게 온종일 눈치를 보며 감정 소모를 하다 보면 이렇게 눈치만 보는 내가 안쓰럽고 못나게 느껴졌어.

좀 더 나은 내가 되면 자신을 인정할 수 있을까 싶어서 무언가를 해야겠다고 여겼어. 가만히 있으면 불안감이 올라오기 시작하거든. 그 불안감을 잠재우기 위해 다양한 취미생활을 했어. 뜨개질, 리본공예, 향초 만들기 등 뭐라도 하면 조금은 편안해지는 기분이 들어. 어떤 날은 뜬금없이 한자 시험, 한국사 시험공부를 한다고 책을 샀지. 그렇게 시작한 일은 아무것도 하지 않을 때의 불안감을 잠시나

마 잠재워 줬을 뿐 대부분 끝맺지 못했어. 결혼하고 한동안은 집을 꾸민다고 부지런히 청소하고 정리 정돈 했는데, 내가 원했던 건 가만히 있는 나 자신을 참을 수 없어 움직인 것뿐이었어.

물론 좋아서 한 일도 있었지만, 대부분은 가만히 있을 수 없어서 했거든. 지금은 불만족스럽고, 만족스러운 미래는 너무나 멀리 있어서 오늘 치열하게 살아내지 못하면 한 발짝 더 멀어져 간다고 여겼어. 내가 생각하는 행복은 늘 미래에만 존재하기에, 현재의 나는 행복할 수 없었지.

작년 여름휴가는 나에게 의미가 있는 휴가였어. 원래대로라면 일정을 빽빽하게 짜고, 최대한 많은 것을 보려고 노력했을 거야. 그런데 직장에서 야근하고, 주말에도 일하느라 일정을 짤 기운이 없었거든. 그래서 휴식을 목표로 여행지에 가서 하루 중 한 번 바닷가 산책만 하고 그냥 쉬었어. 별다른 일정 없이 일주일 동안 해가 뜨고 지는 것을 보고, 파도 소리를 듣는 것만으로도 충만해지더라. 마음이 차분해지고 자신에게 집중할 수 있는 시간이었어.

여러 관광지를 둘러보는 동안, 얼마나 내 마음이 몸이 머무는 곳에 함께 있었나 돌아보았어. 더 많이 보려는 조급한 마음에 감상할 여유가 없었어. 빨리 다음 코스로 가야 할 동선을 신경 썼으니깐.

심지어 어떤 날은 여행을 마치고 빨리 집으로 돌아가고 싶었어. 여행지에 있는 동안 다음 할 일정에만 신경 쓰다 보니 제대로 즐기지 못했던 거야.

살아있음을 느낄 때는 무엇을 해서가 아니라, 지금 이 순간을 생생히 느낄 때야. 미래를 생각하느라 불안했던 거야. 할 일들을 생각하며 미래만 바라보지 말고 이 순간에 집중하자. 살아있다는 건 말 그대로 무엇인가 하지 않아도 완성되는 문장이야. 숨 쉬는 것만으로 살아있음을 확인할 수 있거든.

나는 먼 미래가 아니라, 지금 여기 살고 있어.

2023년 6월 9일

'자랑스럽다.'라는 말은 스스로 해주지 못한 말이자, 가장 듣고 싶은 말이야. 자랑스럽다는 말은 내게 과분했어. 하지만 이제 대단치 않아도 나를 자랑스러워하고 싶어.

나는 네가 자랑스러워

인정받고 싶은 나에게

나는 남들에게 주목받기보다 피해주지 않으려 노력했어. 인정받지 못해도, 남들에게 안 좋은 소리를 듣지 않는 것을 다행으로 여겼어. 비난받는 게 두려웠거든. 하지만 마음 한편은 인정받고 싶었어.

인정받고 싶다고 입 밖으로 꺼낼 수 없기에, 진심을 굳이 말하지 않아도 통할하리라 생각했어. 그렇게 내 진심은 전하지 않으면서, 나름의 노력을 하며 다른 사람의 인정과 칭찬을 하염없이 기다렸지. 지나가면서 툭 던지는 다른 사람의 평가에 귀를 쫑긋 세웠고, 말 한마디에 웃고 울었어. 종종 나에게 오는 칭찬은 잠시나마 나를 기분 좋게 해줬지만, 그 시간은 그리 길지 않았어.

어떠한 일이 마음에 걸리면 주변 사람에게 내 상황을 얘기하고 의견을 듣고 싶어 했어. 어느 날 나는 남편에게 그 상황을 처음부터 끝까지 얘기하며, '당신이라면 어떻게 했을 것 같아?

내가 잘못한 거 같아?'라고 물어보았지. 그때 남편이 한 말이 "너는 네가 한 행동을 나한테 검사받으려 하는 거야? 그 당시 네가 옳다고 생각해서 행동한 거잖아. 그럼 된 거지 왜 자꾸 확인받으려 해?"였어.

그 말을 듣는 순간 얼굴이 달아올랐어. 남편의 의견을 듣는 듯 물어보았지만, 사실은 내 행동을 어린아이처럼 확인받고 잘했다는 말을 듣고 싶었어. 그렇게 칭찬과 인정에 목말라 있었던 거야. 그 칭찬과 인정을 해주길 바랐던 사람은 그 누구도 아닌 내 자신인데 말이야. 왜냐하면 남편이 내가 물었을 때, 잘했다고 하면 몇 번이고, '어떤 점이 잘했는데?'라고 물어보며 믿지 못했어. 그리고 잘못했다고 하면 나를 이해하지 못한다고 짜증을 냈어. 남편의 어떠한 대답도 내가 원했던 대답이 아니었던 거야. 다만 잘했다고 하면 아주 잠깐 위로가 되었을 뿐이었지. 남들의 칭찬도 잠깐은 기뻤지만, 오래가지 못하는 이유가 스스로가 받아들이지 못해서였어. 금세 자신감을 잃고 또다시 칭찬에 목말라했던 거야.

'자랑스럽다.'라는 말은 스스로 해주지 못한 말이자, 가장 듣고 싶은 말이야.

자랑스럽다는 말은 내게 과분했어. 하지만 이제 대단치 않아도 나를 자랑스러워하고 싶어.

돌이켜보면 나는 그리 못나지 않더라. 부족했지만 노력하며 살았잖아. 물론 나보다 훌륭하고 대단한 사람이 많다는 것은 잘 알고 있지. 그래도 그럭저럭 열심히 살았어. 이 정도면 괜찮지 않니? 내가 할 수 있는 최선의 선택을 한 거야. 결과만 보고 그 노력을 외면하지 마. 네가 잘해보려고 고민하고 노력한 거 알아.

잘했어. 고생했어. 지금의 내가 자랑스러워.

2023년 6월 16일

행복해지려면 큰 자극이 필요하다고 믿었는데 그렇지 않더라. 카페에서 마시는 커피 한 잔, 우연히 들려오는 좋아하는 노래에 행복해. 맛집을 발견했을 때, 일과를 마친 후 포근한 이불에 누웠을 때도 행복해.

나를 행복하게 해주는 것들

행복하고 싶은 나에게

20대에 집안일을 도와주며 직장을 다닐 때였어. 그때 제일 하고 싶었던 게 햇살이 들어오는 카페에서 커피 한 잔 마시며, 책을 보고 여유를 즐기는 거였어. 그 당시 평일에는 회사 다니고, 주말에는 집에서 하는 가게를 돕느라 숨 돌릴 틈이 저녁 시간밖에 없더라. 여유 시간이 그렇게 가지고 싶더라.

시간이 흘러, 더 이상 매일 일을 하지 않게 됐고, 언제든지 낮에도 카페에서 커피를 마실 수 있는 여유가 생겼어. 그런데 거짓말처럼 집에 있으면 밖에 나가기가 귀찮은 거야. 마냥 누워서 재미있지 않아도 넷플릭스를 보며 하루를 보내. 일요일 저녁은 다음날 출근하기 싫고 주말을 뜻깊게 쓰지 못했다는 자책에 우울해하지.

사람은 늘 하지 못하는 것들에 대한 갈망이 있나 봐. 하지 못했을 때는 그게 되게 하고 싶잖아. 시험 기간 때 시사 프로그램이 재밌고, 평소엔 하기 싫은 청소를 하고 싶은 거 보면 말이야.

스무 살 때 나를 행복하게 하는 건 세계여행이나, 이름만 대면 아는 직장에 취직하는 것, 건물 하나쯤 살 수 있는 재력, 멋있는 남자친구 등이라고 생각했지. 지금 이것들은 여전히 이루지 못했어. 삼십 대에 해외여행도 몇 번 가보고, 만족하는 직장에 다니고 있고, 내가 먹고 싶은 거 정도는 고민하지 않고 사 먹을 수 있는 돈이 있는 정도야.

스무 살에 거창하게 써 내려갔던 리스트 중 작은 일부분이지만 이뤘을 때 얼마나 행복했니? 잠깐 즐거웠지만, 행복이 오래가진 않더라. 여행을 간 시간보다 일상을 살아야 하는 시간이 긴 것처럼 말이야. 결혼할 때 희망과 꿈에 부풀어 행복할 것 같지만, 결혼이 일상이 되면 무뎌지거든. 물론 바라던 일이 이뤄지는 건 정말 의미 있고, 행복한 건 맞지만 말이야.

우연히 참석하게 된 강연에서 들었던 질문을 떠올랐어. 한 고시생이 3년 후 합격했어. '이 고시생의 고시를 준비한 3년은 불행하고, 고시를 붙은 후의 미래는 행복하기만 할까요?'라는 질문이야. 이

질문은 나의 가슴속에 깊이 들어왔어. 고시 공부를 한 3년도 얼마든지 행복할 수 있고, 고시를 붙은 후에 이런저런 일로 불행할 수 있지. 행복과 불행이 이분법처럼 나눠지지 않잖아. 행복은 무엇인가 이뤄져야만 가질 수 있는 게 아니더라.

행복해지려면 큰 자극이 필요하다고 믿었는데 그렇지 않더라. 카페에서 마시는 커피 한 잔, 우연히 들려오는 좋아하는 노래에 행복해. 맛집을 발견했을 때, 일과를 마친 후 포근한 이불에 누웠을 때도 행복해.

행복을 위해 할 수 있는 건 대단한 행동이 아니라, 행복을 발견할 수 있는 여유인 거 같아. 찾아볼 여유가 없어서 그렇지, 찾아보면 행복하지 않을 이유가 없더라. 마치 여행지에서 두근거리는 마음으로 재밌는 것을 찾는다면 말이야.

그런 의미에서 오늘 행복한 일을 발견하는 하루가 되길 바랄게.

2023년 6월 23일

쓸모란 남들에게 인정받는 것이 아니라, 자기 인생에 스스로 책임지는 거야.

쓸모없다는 두려움

쓸모없어질까 두려워하는 나에게

드라마나 영화를 보면 주인공 옆에 꼭 민폐 캐릭터가 나오잖아. 엉뚱한 실수로 주인공을 곤란하게 만들거나, 유난히 손이 많이 가는 캐릭터 말이야. 그런 캐릭터는 대부분의 사람이 좋아하지 않겠지만, 나는 유난히 싫었어. 쓸모 없는 사람이 되는 건 내가 생각하는 최악의 상황이었거든.

나는 부족한 사람이야.
그래서 노력해야 하고,

내 의견보다는 다른 사람의 의견을 따르는 것이 옳다고 생각했어.

내가 도움을 줄 수 있는 사람이어야 관계가 유지된다고 믿었지. 부족하니 내가 무엇인가를 더 해야 하는 줄 알았어. 내가 쓸모없는 사람이라는 걸 들킬까 봐 들키지 않으려 노력했고, 쓸모 없어지면 혼자가 될까 봐 두려웠어.

쓸모있는 사람이 되기 위해 남들이 원하는 모습대로 살아야만 했어. 그러다 보니 내가 하고 싶은 것을 애초에 고려 대상에 넣지 않았어. 남들이 원하는 모습에 답이 있다고 생각했거든. 그런데 나이를 먹고, 사회생활을 하다 보니 그 답을 점점 알 수 없게 돼버렸어.

여러 가지 상황과 조건에 따라 답이 달라지더라. 어떤 사람은 예의 바른 모습을 좋아하고, 어떤 사람은 솔직한 모습을 좋아해. 어떤 사람은 유능한 사람을 좋아하고, 어떤 사람은 유능하기보단 성실한 사람을 좋아해. 어떤 일은 꼼꼼함이 중요하고, 어떤 일은 빠르게 결정하는 게 중요해.

쓸모있는 사람은 어떤 사람인지 자신에게 다시 물어봤어. 내 주위에 있는 사람들은 내가 무엇인가를 많이 이뤄내서, 또는 좋은 사람처럼 행동해서 내 주변에 있을까?

지금 내 곁에 있는 사람들이 단순히 쓸모 때문에 곁에 있는 게 아니더라. 그동안 쓸모 있는 사람처럼 보이길 원했고 진짜 내 모습을 보여주지 않는다고 했지만, 사람 마음이 쉽게 숨겨지는 것도 아니잖아. 노력했던 모습까지 나로서 바라봐 줬던 거라는 생각이 들더라.

쓸모없는 사람이 될까 봐 두려웠던 마음은 자신감이 없어서야. 스스로 별 볼 일 없는 사람이라고 생각했으니깐 두려웠던 거지.

쓸모란 남들에게 인정받는 것이 아니라, 자기 인생에 스스로 책임지는 거야. 그러니 쓸모없는 사람이라는 두려움을 버리고, 나를 사랑하고 인정할 수 있는 사람이 되었으면 좋겠어.

인생에 스스로 책임지는 한 너는 괜찮은 사람이야.

2023년 6월 30일

내가 상대방의 진심을 알고 싶어 하는 것처럼 상대방도 내 진심을 듣고 싶을 거야.

눈치 보지 않고 살고 싶어

솔직한 감정을 표현하기 힘든 나에게

가끔 아무도 나를 모르는 외국에서 살고 싶다고 생각해. 그곳에서는 지금껏 살던 모습에서 벗어나 자유롭게 살 수 있을 것 같아서 말이야. 기존의 익숙함을 버리더라도 다른 사람의 시선에서 벗어나고 싶어.

'왜 지금 자유롭다고 느끼지 못할까?'

가장 큰 이유는 다른 사람 기대에 벗어나면 안 된다는 생각 때문이야. 내 의지보다 다른 사람의 뜻에 맞춰 행동했지. 그렇게 행동하다 보니 솔직하지 못했다는 죄책감이 들고, '언제까지 이렇게 살아야 하나?'라는 마음에 지쳤던 것 같아. 내가 선택해서 원하는 대로 살았던 것 같은데 말이야.

다른 사람에게 맞춰야 한다는 생각에 막연하게 내 진짜 모습을 보여주면 안 된다는 불안감이 생겼지. 거짓말을 한 것도 아닌데 거짓말 한 사람처럼 내 모습을 들킬까 두려워했어.

부정적인 감정이 들어도 솔직하게 말하지 못했어. 그 사람에 대한 거부처럼 여겨질까 긍정적인 이야기만 하려 노력했거든. 긍정적인 것이 옳은 것도 아니고, 부정적인 것이 나쁜 것도 아닌데 말이야. 내 의견을 물어보는 질문이 부담스러웠어. 상대방의 생각에 맞춰 말하다 보면, 나는 '내 의지 같은 건 없나?' 하며 자책했지. 자꾸 내 감정을 얘기하지 않다 보니 점점 좋아하거나 싫어하는 것이 사라져 버렸어. 내 감정을 솔직하게 전달하는 힘이 필요하다는 걸 알았어.

솔직하기 힘든 나에게 이런 말을 해주고 싶어.

내가 상대방의 진심을 알고 싶어 하는 것처럼 상대방도 내 진심을 듣고 싶을 거야. 그 사람의 의견에 뜻을 같이한다는 것을 표현하기보다, 그 사람 의견을 존중하며 내 생각을 말하는 것만으로 충분하다고 생각해. 감정 자체가 잘못된 것이 아니야. 상대방의 존중과 믿음만 있다면 얼마든지 솔직해져도 괜찮아. 그러니 두려움을 내려놓고 솔직하게 네 감정을 말해봐.

2023년 7월 7일

실패해도 괜찮아. 실패 속에서 얻는 것이 있고, 그로 인해 성장할 수 있었잖아. 잘하려고 하는 네 마음이 걱정이 아니라 기대로 이어지길 바랄게.

걱정을 멈추고 싶어

항상 대비책이 있어야 하는 나에게

나는 무슨 일을 하든 걱정이 많아.

걱정해야 더 잘할 수 있다고 믿었지. 여러 가지 이유로 최악까지 상상하며 일어나지 않는 일을 걱정했어. 내가 할 수 없는 범위의 일까지 책임져야 한다고 생각했어.

잘하고 싶은 마음은 좋아. 행동의 원동력이 될 수 있으니깐. 잘하고 싶은 마음이 지나치면 그 일을 하는 동안 행복하지 않았잖아. 지나고 나면 별일 아닌 일이 대부분이고, 주변 사람이 도와주어서 쉽게 해결되는 경우도 있어. 당장은 할 수 없지만 해결되는 데 시간이 필요한 일도 있어. 물론 최악의 상황까지 걱정해서 대비책을 만들어 놓는 것은 좋다고 생각해. 하지만 내 걱정은 문제해결보다 무능력에 대한 불안에 초점 맞춘 거야. 제대로만 한다면 절대 잘못 되지 않고, 실패하지 않을 거라고 자신을 몰아세웠지.

내가 진정 원했던 것은 이런 모습이 아니야. 맡은 일을 잘해서 다른 사람에게 도움을 주고 싶고, 스스로 성취감을 얻고 싶었어. 실패에 대한 두려움을 내려놓을 필요가 있어. 노력했는데 안 되는 것도 있어. 모든 것을 혼자서 다 할 수 없고, 다 책임질 수 없어. 능력 밖의 일은 과감히 내려놓을 줄 알아야 해. 혼자서 모든 것을 책임지려고 하지 마. 주변의 사람은 네가 잘하는지 못하는지 지켜보는 감독관이 아니야. 도움을 줄 수도 있어.

실패해도 괜찮아. 실패 속에서 얻는 것이 있고, 그로 인해 성장할 수 있었잖아. 잘하려고 하는 네 마음이 걱정이 아니라 기대로 이어지길 바랄게.

이제 걱정하지 마.

2023년 7월 14일

이제 타인이 아니라, 내가 정한 기준으로 살고 싶어.
인정은 다른 사람이 해주는 게 아니라 내가 하는 거야.

인정의 기준을 다른 사람에게 맡기지 마

잘해내고 싶은 나에게

어떤 일을 할 때 이 정도는 해야 한다는 기준선이 있잖아. 다른 사람 눈에 잘나지도, 못나지 않은 딱 중간의 평범한 사람으로 보이고 싶었어.

평범한 사람으로 산다는 건 쉽지 않더라. 적당한 대학, 적당한 직장, 적당한 결혼 등 모든 게 기준점이 명확한 것 같으면서 명확하지 않아. 조금만 노력하면 중간은 갈 수 있다고 생각했는데 말이야. 이루지 못했을 때는 다른 사람들보다 부족한 사람이라고 느껴져서 힘들었어.

대학 생활에 적응하지 못하고, 더 좋은 대학에 가지 못한 걸 얼마나 후회하고 자책했는지 몰라. 졸업 후에는 남들이 '괜찮은 회사네.'라고 말하는 곳에 취직하려 고민했지. 이십 대는 결정할 일이 많았고, 기준치에 못 미치는 자신이 못나 보였어. 최고가 아니라 중간 정도만 가자고 생각했는데, 중고등학교의 반 등수처럼 명확하지 않는 거야.

막막한 이십 대를 지나 계속해서 기준점을 찾으려 노력했어. 직장에서 이 정도는 해야 하지 않을까? 아내라면 남편에게 이 정도는 해야 기본이 아닐까? 며느리라면 보통 이 정도는 할 것 같은데? 친구 사이라면 이 정도는 해야지. 이렇게 말이야.

내가 생각하는 기본, '다른 사람만큼만'이라는 평균치가 버거웠어. 지친 마음에 대충 살고 싶기도 했어. 그때마다 기본도 못 지키면 형편없는 사람이 될 것 같아 마음을 다잡았어. 하지만 그 기준점이 문제였던 거야. 기준점은 상대의 기대에 따라 못 미칠 때도 있고, 넘칠 때도 있어. 남들 기준에 맞춰 살기란 어려운 거잖아.

서른 중반에 결혼했는데, 삼십 대가 되자 결혼 적령기를 지날까 조바심이 났어. 만나는 사람이 있었지만 마음의 준비가 안 돼서, 자꾸만 결혼을 미루게 되었어. 남들이 말하는 결혼 적령기가 지나 결혼했지만, 내가 하는 결혼인데 나를 고려하지 않을 수 없더라.

다른 사람만큼은 살아야 한다는 내 마음을 깊이 들여다봤는데 그 속에는 인정받고 싶은 마음이 보였어. 잘 살겠다고 말할 자신이 없어서 남들만큼 살면 인정받을 수 있을 거라 여겼던 거야. 착한 딸로, 능력 있는 동료로, 듬직한 친구로, 좋은 아내, 사랑받는 며느리로 인정받고 싶었어. 더 이상 남들만큼 살아야 한다는 기준은 접어두기로 했어.

이제 타인이 아니라, 내가 정한 기준으로 살고 싶어. 인정은 다른 사람이 해주는 게 아니라 내가 하는 거야. 내 상황과 조건, 하고 싶은 것, 내 의도를 가장 잘 아는 사람이 나잖아. 그동안 남들만큼이라는 기준에 산다고 고생 많았어. 이제는 너답게 잘 살아가길 바랄게.

2023년 7월 14일

새로운 시도를 하다 보면, 예상하지 못한 즐거움을 만날 수 있어. 그런 경험이 모여서 다채로운 삶을 이루겠지.

무엇인가 즐겁게 해보고 싶은 나에게

열정적으로 살고 싶은 나에게

예전에 하고 싶은 것이 많아서 주말이 기다려졌어. 주중에 못 봤던 드라마나 책 보기, 친구들과 만나기, 원데이 클래스 가기 등등 말이야. 지금은 그때처럼 주말이 기다려지지 않아. 물론 출근을 안 하고 집에서 쉴 수 있어 좋긴 하지만, 뭘 하고 싶다는 생각이 안 들어. 책을 읽거나, 영화를 보는 것이 재미없어졌어.

나이가 들어서 재미가 없어졌는지 진지하게 고민해 봤어. 서른 중반이 지나며 부쩍 그런 생각이 많이 들었거든. 주변의 나보다 어린 친구들에게 주말에 뭐 하고 지내냐고, 요즘 뭐가 재밌냐고 물어 봤지. 돌아오는 대답은 특별한 것이 없었어, 취미생활, 친구 만나기, 맛집 가기 등 평범한 주말이 연상되는 답변이었지. 무엇을 하든 활력이 있는 사람이 부러웠어. 다른 사람은 평범한 일에도 즐거워하는데 말이야. 그에 비해 나는 벌써 삶의 의욕이 시들해진 것 같아 씁쓸했어. 그래서 새로운 취미생활을 해보자고 마음먹었지. 시작부터 쉽진 않았어.

'생각보다 별로면 어쩌지.'
'노력한 만큼 결과가 안 나올 것 같은데.'
'하려면 제대로 해야지 대충할 거면 안 하는 게 나아.'

시작해 보기도 전에 주저하게 돼서 무엇 하나 해볼 수 없었어. 재미있고, 인생에 유용한 일이며, 한만큼 실력이 늘 수 있는 취미를 찾았거든. 처음부터 그런 일이 몇 개나 되겠어. 기껏 생각해 낸 게 업무와 관련된 자기 계발, 운동이었어. 평소에도 해야 한다고 여겼던 짐이었지, 재미있어서 했던 일은 아니었어. 결국 아무것도 새롭게 시작할 수 없었어.

취미뿐만 아니라 이것저것 따지다 보니, 좋아하는 것이 점점 줄어든 거야. 예전에는 이 일을 하면 내게 어떤 것이 남을지 고민하지 않고 하고 싶으면 그냥 했어. 그런데 나이를 먹으며 자꾸 본전 생각을 하더라. 내가 들인 시간과 노력만큼 재미있을지 말이야. 오히려 일할 때 마음이 제일 편해. 지금 할 수 있는 일 중에 제일 가치 있는 일인 것 같거든. 처음부터 가치 있고 잘하는 일을 해야 한다는 생각이 새로운 것을 시작할 수 있는 호기심을 없애버렸어.

의미 있고 열정적인 일을 해야만 인생이 즐거울 수 있다고 생각했어. 새로운 시도를 하다 보면, 예상하지 못한 즐거움을 만날 수 있어. 그런 경험이 모여서 다채로운 삶을 이루겠지.

2023년 7월 28일

이제는 제일 먼저 물어봐 줄게. 하고 싶은 것, 하고 싶은 말, 또 어떤 기분인지 물어볼게. 그 어떤 모습이라도 온전히 받아들여 줄게. 나 자신을 잘 챙겨야 다른 사람들에게 건강하게 대할 수 있어.

내 마음 알아봐 주기

참으면 될 줄 알았던 나에게

돌이켜보면 다른 사람을 먼저 신경 쓰느라 나 자신은 잘 챙기지 못했어. 하고 싶은 말이 있어도 상대방이 원치 않을까 봐 말하지 못한 적이 많았거든. 내 기분은 스스로 해결할 수 있으니, 다른 사람의 기분을 신경 쓰는 게 마음이 편했어. 언제든 내 마음 정도야 추스를 수 있다고 여겼으니깐. 그렇게 방치된 내 마음은 시간을 따로 내지 않으면 차례가 돌아오지 않아.

부모님이 하는 가게 일이 바빠져 대학 1년을 휴학하며 도왔어. 그 당시 아무렇지 않은 척을 한다고 했지만 그게 아니었어. 시간이 지날수록 지쳤어. 선뜻 그만둘 정도로 딱히 하고 싶은 일이 있는 것도 새로운 일을 해볼 자신감이 있는 것도 아니었어. 나약한 자신을 자책했어. 언제까지 부모님 일을 도와야 하나 싶고, 불안한 앞날이 걱정되었어. 나만 참으면 된다는 생각에 내가 무엇을 할 수 있을까 찾지 못했어. 나보다 더 어려운 상황에서 자기 일을 잘해 나가는 사람을 보며 나를 책망하기만 했어. 고작 이 정도 일에 울고 있는 자신이 미웠거든. 그렇게 휴학한 일 년은 힘들게 보냈어.

지금에서야 보면 그 당시 내가 엄마를 도와준다고 했지만, 엄마를 가장 힘들게 했던 시간이었더라. 종종 내가 울고 있으면, 엄마가 안아주며 같이 우셨어. 미안하다고 하시면서 말이야. 마음은 참는다고 참아지는 게 아니더라. 남에게 맞춘다고 내가 하고 싶은 마음이 어디로 가는 게 아니야. 이렇게 차곡차곡 쌓여서 언젠가는 그 쌓여 있던 것이 무너지는 날이 오더라고.

그 당시의 나를 바라보니 보살피지 못한 억눌린 마음이 터져버린 거였어. 그때 내면의 소리에 귀를 기울이고, 표현했더라면 어땠을까? 내가 하고 싶은 선택을 할 수 있지 않았을까?

그동안 참으라고만 말해서 미안해. 이제는 제일 먼저 물어봐 줄게. 하고 싶은 것, 하고 싶은 말, 또 어떤 기분인지 물어볼게. 그 어떤 모습이라도 온전히 받아들여 줄게. 나 자신을 잘 챙겨야 다른 사람들에게 건강하게 대할 수 있어.

2023년 8월 4일

마흔을 앞둔 지금, 완벽하지 않지만 저절로 된 게 없더라. 당연하게 여긴 모든 것이 내가 나름대로 노력했던 증거야.

당연한 것은 없어

열심히 살아온 나에게

'왜 더 잘하지 못했을까? 조금 더 노력했어야지.' 이렇게 자책만 했는데, 정작 나에게는 고맙다고 말한 적이 없구나. 모든 것은 다 당연한 거고, 더 잘하기를 바랐었지.

건강해서 고마워. 두 다리로 어디든 갈 수 있고, 두 손으로 편지를 쓰고, 음식을 먹고, 사랑하는 사람을 꼭 안아줄 수 있구나. 가끔 아플 때 아무것도 못 하고 누워만 있어 답답했던 날을 떠올리면 지금의 일상이 고마워.

사람들과 잘 지내서 고마워. 큰 다툼 없이 사람들과 원만하게 지낸 네가 대견해. 속상하고 힘들 때도 있었지만 네가 많이 참았다는 거 알아. 그런 마음도 모르고 자기표현을 못 한다고 자책했지. 상대방이 어떻게 생각할지, 배려하려는 마음에서 그런 거잖아. 그 마음을 잊지 않았으면 좋겠어. 고마워.

맡은 일의 책임을 다해줘서 고마워. 할 수 있는 범위에서 책임을 다해 노력했어. 새로운 아이디어를 내는 사람을 보며 정해진 일만 묵묵히 하는 내 모습이 답답했어. 반복되는 일지라도 한결같이 노력해 줘서 고마워.

주변에 소중한 것을 많이 만들어줘서 고마워. 평소에 감사하지 못했지만 내가 가진 게 참 많더라. 사랑하는 사람들, 편하게 쉴 수 있는 집, 십 년 넘게 일한 직장, 여러 가지 소중한 추억과 물건 등 셀 수 없이 많이 있어. 익숙한 편안함을 만들어 줘서 고마워.

마흔을 앞둔 지금, 완벽하지 않지만 저절로 된 게 없더라. 당연하게 여긴 모든 것이 내가 나름대로 노력했던 증거야. 항상 더 잘하지 못한다고 자책해서 미안해. 나를 위해 가장 애써준 나에게 고마워.

2023년 8월 11일

가끔 비염이 얄궂게 찾아오긴 하지만 '쉬어가라는 신호'라고 생각해.

쉬어가라는 신호

몸이 주는 신호를 무시했던 나에게

건강에 대해 말하자면 난 비염을 빼놓을 수가 없어. 중학교 때부터 알레르기 비염이 있었어. 평상시에는 괜찮다가, 몸 상태가 안 좋을 때 쏟아질 정도로 콧물이 많이 나와. 코를 계속 풀다 보면 나중에는 머리까지 아파서 아무것도 못 하게 돼. 이 비염이 너무 싫었어. 원인을 찾으려 병원에 다녀봤지만 크게 달라지는 건 없었어. 괜찮다 싶다가 한 번씩 찾아와 나를 괴롭게 했어.

비염이 심해지는 원인은 무리할 때, 스트레스받을 때, 먼지가 많은 곳에 있을 때야. 며칠 무리하게 약속을 잡거나, 많이 움직인 후 제대로 쉬지 않으면 바로 콧물이 나왔어.

스트레스를 받으면 콧물이 뚝뚝 떨어지는데, 어떨 때는 힘든 줄도 모르고 있다가 콧물이 나면 내 행동을 돌이켜봐. 의식하지 못했을 뿐 꽤 스트레스를 받고 있더라. 활동하는데 비염이 걸림돌이었어. 심할 때는 온종일 누워있어야 했어. 그래서 콧물이 나오려는 증상이 보이면 일찍 자거나 몸을 편하게 해주려 노력했어.

비염으로 고생할 때나 다른 이유로 몸이 안 좋을 때마다 내 탓을 하게 되더라. 이 정도밖에 못 버티는 몸에 화가 나고, 몸을 컨트롤 하지 못하는 나약한 마음에도 화가 났어. 나는 몸과 싸우려고 했더라. 아프면 내 맘처럼 움직여지지 않는다고 짜증 냈지. 그런데 그렇게 싫어한 비염이 몸이 쉬어 갈 시간을 알리는 거더라고. 몸에 이상 신호가 오면 비염이 제일 먼저 알려줬으니깐 말이야.

건강이란 당연한 게 아니더라. 마음의 건강 못지않게 몸의 건강도 중요해. 생각이 많을 때 산책하다 보면 생각이 정리되고 약간의 노곤함이 잠을 잘 오게 하더라. 마음을 편하게 먹고 몸을 보살피니, 비염이 좋아졌어. 가끔 비염이 얄궂게 찾아오긴 하지만 '쉬어가라는 신호'라고 생각해.

2023년 8월 18일

내가 나를 지지하지 않으면 아무것도 할 수 없더라.
왜 그럴 수 밖에 없었는지 들어줬으면 좋겠어.

내 편이 되어줄게

위로가 필요한 나에게

내 편이라는 말 자체가 설레고, 힘이 나는 말이야. 언제나 믿을 수 있는 내 편이 있다면 든든할 거야. 세상에 태어나 첫 내 편이 돼주신 부모님, 내가 뭘 해도 받아주는 친구들이 있지. 너도 알겠지만, 나이를 먹어가며 점점 만나기 힘들어져. 나만 해도 결혼 후에 남편과 함께하는 시간보다 각자 밖에서 보내는 시간이 더 길어. 결국 내 편이 나와 함께 할 수 없고, 각각의 상황마다 나의 편을 만드는 것도 쉽지 않지. 다 바쁘게 살아가니 정작 필요할 때 옆에 있어 주지 못할 때도 많아. 이 사실이 종종 외롭게 해.

그토록 원했던 내 편은 나 자신이더라. 모든 상황을 말로 하지 않아도 내 마음을 온전히 바라볼 수 있는 사람이 나야.

내 편인 자신에게 무엇을 해줬나 생각해 봤어. 항상 책망하고 잘 해야 한다고 몰아세웠지. 때로는 실수한 나를 미워하고, 동정하기도 했고. 자신에게 엄격한 감독관이었어. 자신을 위로하는 건 나약한 행동이라고 여겼으니깐. 그런데 나마저 등을 돌리면 다시 일어날 힘은 어디에서 얻을 수 있겠어. 결국 나를 움직이는 건 나잖아.

내가 나를 지지하지 않으면 아무것도 할 수 없더라.

왜 그럴 수밖에 없었는지 들어줬으면 좋겠어.

실수해도 괜찮다고 말하고, 작은 일이라도 칭찬해 줄 거야. 따뜻하게 바라봐 주는 사람이 있다는 것으로도 잘 해낼 수 있잖아. 항상 내 편이 되어 응원할게!

2023년 8월 25일

거기 사람 뽑던데 저 써주세요

오주현

오주현(오로라)

아침 일찍 일어나 하루에 정성을 다 하는 사람, 남을 귀하게 여길 줄 아는 사람, 훗날 법을 잘 지키는 성숙한 어른이 될 오주현을 상상하며 오늘도 부푼 마음 가득 글을 씁니다.

창피해서 숨지 말고, 나를 바로 보고 당당해졌으면 좋겠어. 매일매일 거울 보듯 연습한다면 진짜 나를 마주할 수 있을 거야.

나를 마주하는 연습

창피해서 숨고 싶었던 나에게

안녕, 오로라야.

살아있다는 건 내 모습을 마주하는 연습이 아닐지 싶어. 내 모습을 부정하면서 살다가는 1년, 5년, 10년 뒤 모습이 걱정돼. 이제 제대로 내가 어떤 사람인지 알아야 할 것 같아. 닥치는 대로 일을 해낸다고 정신없이 산 거 같아.

이미 한 번의 이혼을 했고 혼자 아이를 키우고 있잖아. 더 이상의 내가 뿌리째 흔들릴 만한 자극은 원치 않아. 그게 뭐든 간의 말이야. 몸뚱이 하나가 재산인데, 부모의 전폭적인 지지나 일을 하지 않아도 될 만큼의 비빌 언덕이 있는 것도 아니잖아. 그래서 쫓기듯이 일을 해치우기 급급했는데, 이제 그러면 정말 안 될 것 같아.

아이들이 커가며 들어가는 교육비에 점점 오르는 집값도 감당해야 하는데, 감당이 안 되네. 강사 시장도 세대교체가 빠른 곳이라 30대 후반의 강사가 특별한 무기 없이 버티기에는 난감한 상황이 된 거 같아. 지금 하고 있지만 강사라는 일을 앞으로 몇 년이나 더 할 수 있을지 모르겠어. 강사니까 사람들 앞에서는 밝고 씩씩한 모습으로 기억되겠지만, 속으로 곪고 있었던 게 오래된 거 같아. 지금 마주하지 않으면 너무 늦을 것 같아.

아이들 커가는 만큼 공부방 따로 마련해주고 싶고. 수업 마치고 집에 오면 편히 쉴 보금자리가 될 수 있었으면 좋겠어. 그러려면 지금보다 집이 넓었으면 좋겠어. 또 기동력이 받쳐줘야 하니까 무엇보다 내가 건강했으면 좋겠어. 5km 마라톤을 완주할 수 있는 만큼의 체력이 필요해.

내가 기력이 없어 보이거나 안색이 안 좋으면 아이가 다가와 "우리 엄마 힘들어서 어떻게?" 그래. 내가 아이에게 안정감을 못 주는 것 같아 미안했어. 엄마 걱정 안 하게끔 해주고 싶어. 창피해서 숨지 말고, 나를 바로 보고 당당해졌으면 좋겠어. 매일매일 거울 보듯 연습한다면 진짜 나를 마주할 수 있을 거야.

2023년 6월 9일

미스 오는 웃는 게 이뻐.

온 정신을 붙들고 참을 수 있었던 힘

더 소중한 것을 지켜낸 나에게

난 '자랑스러움'의 정의를 모든 사람이 다 인정할 만한 걸 했을 때야만 이라고 여겼어. 뭘 뛰어나게 잘 해서 상을 받거나 돈을 많이 벌어서 차를 바꾸는 거 아니면 딱히 자랑스러운 게 떠오르지 않았어.

자랑스러운 모습을 떠올리다 몇 분인가 흘렀을까? 올해 베트남 호찌민에 갔던 기억이 나네. 모임에 만난 사람과 가족 단위로 여행을 갔었어.

36살에 쪼인트 까여 봤어?

지금은 웃으면서 말할 수 있지만 그때 기억 일부가 내 머릿속에 지워질 만큼 충격이었어.

시장으로 가기로 한 스케줄이 있었는데, 그때 당시 난 컨디션이 안 좋아서 같이 간 언니에게 호텔에서 쉬겠다고 했어. 그랬더니 무조건 같이 가야 한다며. 점점 말이 험해지더라구.

급기야 호텔 화장실에서 내 정강이를 때렸어. 너무 무서웠는데 참았어. 그때는 내 잘못인 줄 알았어. 그래서 가만히 있었어. 생각해 보니 진짜 열받는 거야. 억울해서 참을 수가 없었어. 날이 밝자 다른 가족한테 말했어. 어른들만 모두 모인 자리였고, 그 가해자와 가해자 남편도 있었지. 나를 둘러싸고 있는 사람들은 음식이 나오기도 전에 나를 다그치기 시작했어.

"그때 어떻게 된 거야?"

음식이 나온 후에도 달라지는 건 없었어. 나한테 말을 똑바로 하라며…

거기서 내가 무얼 말할 수 있었을까?

날 때린 사람 앞에서 말해야 했는데, 말할 수 없었어. 한없이 무서웠어.

온 신경을 다 해 참았어. 우리 아이가 있었고, 다른 가족 아이들도 있었어. 나는 어른이니까 참을 수 있지만 아이들은 힘이 없으니까, 나라도 아이들을 지켜주고 싶었어. 아이들에게 평생 기억에 남을 첫 해외여행이 어른들의 싸움으로 기억되게끔 하고 싶지 않았어.

그것 때문에 참았어. 불편하고 힘든 순간이었지만, 아이들의 첫 해외여행은 아이들이 다시 가고 싶다고 할 정도로 좋은 추억을 안고 왔어. 그리고 이젠 난 성장했어. 난 이제 까이지 않아. 강해졌거든.

누가 나에게 함부로 하면 내 입장을 확실하게 전달하고 경고할 거야.

"선 넘지 마."

살면서 이렇게 감정을 초인적으로 참은 적이 있었을까?

네가 대단해. 열악했지만, 아이를 지키고 싶은 너의 모성애는 빛났다고 말해주고 싶어. 외국이라는 낯선 곳에서 꿋꿋이 버틴 네가 대단해. 나 혼자였으면 비행기 타고 한국 와버렸을 거야.

한국으로 돌아오는 날, 이 모든 상황에 함께 했던 튜터가 내게 메시지를 보냈어. 번역기를 돌려 알아차린 그녀의 따뜻한 말. 그 말로 마무리를 할게.

'미스 오는 웃는 게 이뻐.'

2023년 7월 7일

너나, 나나… 녹록지 않고 고달플 때가 많지만, 우리 잠시 내려놔 보자. 그곳이 침대이든, 소파든, 거실 바닥이든 상관없어. 중력에 나를 맡기다 보면, 창가 너머로 나무 세 그루가 살랑거리는 게 보이거든? 바로 그곳이 무릉도원일 거야.

내가 이 집을 못 떠나는 이유

잠시 눈을 감기만 해도 행복을 느끼는 나에게

안녕 오로라야. 우리 집은 30년 된 아파트 1층이야.

적당히 어둡고 적당히 그늘져 낮잠 자기 너무 좋아. 큰일이든, 작은 일이든 할 일을 끝내고 낮잠을 자는 순간이 난 정말 행복해. 잠에 푹 들지 않아도…. 눈만 감아도 평온 그 자체이지.

베란다 건너 작은 텃밭에 나무 세 그루는 딱 우리 집만 가려줘. 마치 내가 심어 놓은 마냥 신기하게도 다른 집 1층은 뻥 뚫려 있고 우리 집 베란다 앞에만 나무가 모여 있어. 덕분에 밖에서 우리 집 안이 안 보여.

1층의 찹찹한 콘크리트 온도, 고요한 적막감. 바람도 달콤한 정오의 단잠은 지금 상상만 해도 기분이 좋아져. 벌써 5년이나 되었어. 봄 · 여름 · 가을 · 겨울을 먼저 알려주는 나무 아래에서 낮잠을 즐긴 지. 이 집에서 오래 살 줄은 몰랐는데. 집주인이 3번 바뀌는 동안 이사 갈 생각을 안 했네.

작고 단정한 집. 그리고 나무 세 그루. 내가 못 떠나는 이유인 것 같아.

너나, 나나… 녹록지 않고 고달플 때가 많지만, 우리 잠시 내려놔 보자. 그곳이 침대이든, 소파든, 거실 바닥이든 상관없어.

바닥에 누우면, 창가 너머로 나무 세 그루가 살랑거리는 게 보이거든? 바로 그곳이 무릉도원일 거야.

이렇게 잘 수 있는 시간 내가 있다는 것에 감사
에어컨 없이도 서늘한 동굴 같은 우리 집에 감사
요란하게 학교 갔던 아들 녀석의 무소식에 감사
휴식을 취하고 조금 더 너그러워질 나에게 미리 감사

분주했던 아침이 가고 어쩜 소란스러울지도 모르는 오후를 준비하며 오로라야, 너도 잠시 단잠에 빠져보는 거 어때?

2023년 6월 23일

나는 절대 가난하지 않고 싶어! 비록 내 처지를 바로 바꿀 수는 없지만, 우아한 백조처럼 오늘도 허리를 꼿꼿하게 세우고 있어.

가난해지지 않아

보란 듯이 잘 살고 싶은 나에게

안녕, 오로라야.

오늘은 가난에 관해 이야기를 해보려 해. 조금 심오하지? 분명 가벼운 단어는 아닐 거야. '가난'이란 단어는 그 기준마저 사람마다 다를 테니…

어릴 적에 나는 가난했었어. 재래식 화장실을 중학교 1학년 때까지 썼고, 재래식은 아니지만, 천장의 물통 줄을 당겨 사용하는 화장실을 고등학교 1학년 때까지 썼지. 그러다 조금씩 형편이 좋아지기 시작했어. 생활력 강한 엄마 덕분이었어. 원단 공장을 다니며 주 2회 한자를 가르치는 봉사활동을 하셨는데 그게 잘 되어서, 작은 공부방을 운영하게 되었고, 또 그게 잘 되어서 학원을 차리게 되었어. 그렇게 학원 원장님으로 10년 가까이 지내셨지.

고등학교 2학년 때, 생애 첫 아파트로의 이사가 아직도 기억이 남아. 일단, 화장실이 집 안에 있었고 욕조도 있었어. 그리고 내 방에는 베란다까지 있더라. 내 방이 있는 것도 신기한데, 베란다라니… 야경에 반해버렸어.

막막한 삶이었을 텐데, 혼자서 집안을 일궈 낸 엄마가 되게 멋있어 보였어. 그런데 있잖아. 우리 엄마도 너무 기뻤었나 봐. 세상에… 집들이를… 6번이나 하셨어! 엄마를 도와 집에 오시는 손님들 밥상, 술상, 심부름에 온몸이 피곤했지만, 사람들 틈에서 너무나 행복해하고 사람들 틈에서 얼큰하게 취하신 엄마와 아버지가 보기 좋더라.

안타깝게도 지금은… 사는 것이 녹록지 않아. 엄마가 일궈 놓으신 사업은 건강이 무너지자 모두 정리되었고, 기억 속의 '가난'은 다시 내 삶의 현실이 되어 돌아왔어. 오로라야… 이 일을 어쩌면 좋니… 굳세어라 금순아로 살아보겠노라!... 했으나, 결국 나도 별수가 없었어. '현실 도피형 결혼'의 끝은 이혼이었고, 두 아들을 키우며 한부모 가정이라는 타이틀만 남았네.

나는 가난이 참 두려워. 이 가난은 마주하면 마주할수록 공포스러운 것 같아. 만약, 내 아이들이 가난을 경험할 수도 있다면? 우와… 그 고통은 감당이 안 될 것 같아… 내가 느꼈던 그 탁한 공기, 멀쩡한 사람 하나 없었던 주변 이웃들, 할렘가 같았던 불결한 동네… 어둔 건물 사이에 피는 꽃은 그냥 '나' 하나로 족해. 절대 아이들에겐 경험하지 않도록 하고 싶어. 아주 본능적으로 말이야.

그래서 나는 절대 가난하지 않고 싶어! 비록 내 처지를 바로 바꿀 수는 없지만, 우아한 백조처럼 오늘도 허리를 꼿꼿하게 세우고 있어. 옷깃에 힘을 주고, 세상을 향해 두 팔 벌려 뻗어나가고 있어. 그래! 아직 나는 젊어. 그렇지? 우리 엄마가 일어났던 것처럼! 나도 보란 듯이 일어날 거야. 적어도 아이들에게만큼은 양질의 환경과 안전한 유년 시절을 담아주고 싶어. 좋은 고기, 좋은 옷. 아직은 잘 버티고 있는데 말이야. 나 잘할 수 있을까?

맑은 아이들의 눈동자에 행복만 가득 담기길. '가난'은 참 두렵지만, 나는 저력이 있기에! 오로라야. 오늘도 열심히 산 나를 위해 기도해 주겠니?

2023년 7월 7일

불편함을 끌어올려 자신을 갉아먹지 않도록. 앞으로도 '예민'은 저 멀리 보내고, '과민'이랑 친해져야겠어.

비수기는 어김없이 와

지금껏 내가 예민하다고 느낀 나에게

안녕, 오로라야.

아이고, 요즘 내가 정신이 없어. 체력적으로도 힘들고, 적당히 사람 스트레스도 있어. 그리고 무엇보다도 경제적 보릿고개가 살짝 왔지.

기업교육은 성수기와 비수기가 뚜렷한 편이야. 특히, 1~2월과 7~8월은 혹독한 비수기라고 할 수 있지. 1~2월은 시기상, 한 해의 교육예산이 책정되기 전이라 일이 거의 없고, 7~8월은 휴가철이기에 직장인은 휴가를 가. 그래서 교육 진행이 어려워. 기업교육계에 종사한 지 10년이 넘어 예상되는 패턴이지만, 비수기의 자금난은 참 부담스럽다.

올해 초, 건강이 좋지 않다는 것을 자각했어. 신체적인 건강은 아니고 정신적인 건강에 노란 불이 온 것 같았어. 가장 컸던 건 눈앞에 글이 있는데 그 글이 읽어지지 않아서 말이 안 오는 게 충격이었어.

현장 강의를 뛰기보다는 교육을 기획하고 강사님 스케줄 관리하는 일만 했지. 업무 만족도는 높았어.

아쉬운 부분은 자리를 잡아 놓고 운영에만 집중했더라면 싶어. 시기적으로 너무 빨랐던 거야. 출강할 때보다 수입이 곤두박질쳤어. 거기다 비수기까지 어김없이 온 거야. 작년만 해도 강의를 뛰어서 비수기를 잘 넘겼는데, 업무 포지션이 바뀌고 나니 닥쳐온 상황들이었어.

걱정이 많아 잠이 안 와. 공부라도 하면 될 것을 '멍' 하는 시간만 늘어나 마음이 불편해. 원래 내가 좀 남들보다 예민한 편이긴 한데, 올해 건강 밸런스가 깨진 것 같아. 두통도 심하고, 근육통도 오고…. 이건 병원행이겠지?

그래서 얼마 전 병원에 갔어. 한의원에 가서 침을 좀 맞으며 한숨 자려고 했지. 근데 한의원 원장님께서 재미있는 말씀을 하시더라? 내 손목의 맥을 잡으면서….

“조금 체질이…. 과민하시네요.”

‘예민하다.’, ‘민감하다.’라는 말은 익숙한데, 내 평생, “과민하시네요.”란 말은 생전 처음이야. 오로라야. 너는 들어본 적 있어?

‘과민’이란 단어가 신선했고, 부드러운 표현으로 다가오더라. 자신을 예민한 사람이라서 스스로 불편해했는데, 이 ‘과민’이라는 새로운 단어가 위로됐어. 개인의 취향에 따른 이상한 포인트일 수도 있는데, 아무튼 강렬한 기억이었어.

“나는 과민한 사람이다. 조금 과민할 뿐이다. 곧 괜찮아진다.”

어때? 예민한 사람이 아니었다는 안도감. 그동안 내가 나에게 너무 에누리 없었다는 것이 부끄러웠어. 앞으로는 바뀌지 않을 상황과 사람 때문에 마음을 덜 쓰려고 해. 특히 일과 관련된 면에서 생각을 달리하고 있어. 몸에 힘을 빼려고 해. 불편함 때문에 자신을 갉아먹지 않도록.

쉽지 않겠지만 앞으로도 '예민'은 저 멀리 보내고, '과민'이랑 친해져야겠어. 오로라야. 우리 같이 친해질까?

2023년 7월 14일

아줌마라서 독하고, 아줌마라서 똑 부러지지 않아.

인생 2모작

경력 단절 앞에서 작아지는 나에게

나의 선택으로 남들보다 일찍 찾아온 내 인생 '2모작'. 8년을 살려 남으려고 뛴 것 같아. 하루하루가 전투였어. 그 전투에서 살아남았으니 이렇게 글을 쓸 수 있는 거겠지?

안녕, 잘 지냈어? 오로라야!

너도 이젠 알 것 같아 부끄럽지만 내가 남들보다 텐션이 남다른 것을. 파이팅이 넘치는 편이잖아. 이런 꾸밈없는 모습이 나인 것 같아. 이런 기동력이 아니었다면 살아갈 수 있었을까 싶어.

하지만 사회생활에 서툰 내 모습이 아쉬워. 왠지 모르게 자꾸 겁을 먹어. 나 안 쫄고 싶다. 그런데 무서운 걸 어떻게 해. 누가 아줌마가 용감하다고 했어? 아니라구….

부당한 것에 대해 마주하기 전, 왜 자신을 생각하지 않고 주변 분위기를 먼저 살필까? 정말 이 미련한 짓을 8년째 하고 있어. 사람들은 이런 내 모습을 보고 답답하다고 해. 사회성이 없다고 하는 것 같아.

하지만 나도 할 말이 있어. 한창 취직해서 일할 나이에 결혼했잖아. 집안 살림하고, 애 낳고, 애 키우고, 또 애를 낳고. 국위선양 했다지만, 나는 그대로인 것 같았어.

그래서일까? 사회성이 아직도 대학교 4학년에서 멈춘 것 같아. 경력 단절로 인해 차이가 벌어지는 게 임금만이 아니구나! 알았어. 서툰 사회생활에 부딪히면 나는 그냥 깨져버리더라. '아오!' 자존감이 글을 쓰면서도 떨어진다.

아이들이 초등학교에 들어가면서, 직장 출퇴근이 어렵게 됐어. 출퇴근에 지장 받지 않고 할 수 있는 일이 찾다가 시작한 '사업'을 하면서 나도 이제 할 말을 해야 할 순간이 많아지네.

덕분에 요즘 자기 계발에 관련된 영상이나 책을 엄청나게 봐. 이제야 제대로 사회 경험 중이야. 사업하는 선배의 조언도 듣고, 다양한 분야의 멘토와 만나 고민을 털어놓고도 해.

아줌마라서 독하고, 아줌마라서 똑 부러지지 않아. 되려 더 눈치 보고 뒤떨어지지 않으려 애쓰는데….

아직도 쫄아. 이건 연습이 좀 필요할 것 같아. 남다른 탠션이 인생 2모작의 활력이 되면 좋겠어. 경력단절을 요즘 '경력 이음'이라고도 하더라. 오로라야, 기죽지 마.

2023년 7월 21일

타인의 평가는 신경 안 쓰고 싶어. 나를 관찰하고, 나에게 질문하고, 나를 챙길 거야. 저 나무는 소나무고, 저 나무는 잣나무이듯 우리는 모두 다르잖아. 앞으로는 나를 위해 살고 싶어.

SNS를 끊기 잘했어

SNS도 능력이라 생각했던 나에게

자존감은 낮으면서 자존심은 강한 시절이 있었어. 내 상황보다는 타인에게 인정받기를 원했어. 사회성 좋은 사람, 발 넓은 사람, 인맥도 능력이라고 한 사람이 바로 나야.

그런 내가 3개월 전, 미련 없이 SNS를 끊었어. 이 결단은 지금 내 생활 방식에 큰 영향을 줬어.

SNS를 끊게 된 계기는 SNS를 대하는 내 태도 때문이었어.

SNS에서 친하다는 의미는 SNS 안에서만이라는 걸 체감했어. 원래 내가 하려고 했던 취지인 일상의 소소한 공유하고는 멀어졌구나 싶었어.

한 마디로 잘 먹고 잘사는 척했던 거야. 자랑할 목적으로 가장 예쁜 곳, 가장 핫(hot)한 곳, 맛있는 음식을 예쁘게 찍어 업로드 했어. 그러면서 다른 사람이 잘 먹고 잘사는 사진을 보면서 잠 못 잤어. 이런 나를 바로 잡고 싶어.

SNS와 이별하는 중이야. 아직 미련이 남아있거든. 며칠 전이었어. 처음으로 아이와 단둘이 워터파크 간 날에 함께 찍은 사진을 어딘가 올리고 싶어 몸이 근질거렸어. 그렇게 일도 잘하고 육아도 잘한다는 사람이라고 자랑하고 싶더라. 올릴 데가 없으니까, 다행이야. SNS를 끊기 잘했어.

SNS를 끊으니까 내 사람이 구분되더라.

SNS 친구는 많으면서 소소하게 소주 한 잔 기울일 사람은 없었거든. 외로웠어. 그런데 이제 직접 전화가 와. 덕분에 "요즘 어떻게 지내?"라는 말을 부쩍 들었어. 요즘 지인들이 찾아와서 더 바빠.

그리고 더 이상 예쁜 곳, 아름다운 뷰를 봐도 카메라를 먼저 켜지 않아. 내가 어디 있는지 사람들이 몰라서 편한 것도 많아. 안전 문제도 있었어. 무시 못 해. 혹시 내 잘못으로 아이들의 신상이 노출될까 봐 걱정했는데, 어느 정도 사라졌어.

TV에서 누가 그러더라. 돈이 진짜 많고, 아무도 나를 몰랐으면 좋겠다고. SNS를 끊고 내가 100% 공감했던 순간이야. 사는 동네는 물론이고 어디 갔는지, 뭐 하는지, 아이 이름, 학교와 학년…. SNS는 이 모든 사생활이 자연스럽게 오픈 된 공간인 것 같아. 정리하길 잘했어.

타인의 평가는 신경 안 쓰고 싶어. 나를 관찰하고, 나에게 질문하고, 나를 챙길 거야. 저 나무는 소나무고, 저 나무는 잣나무이듯 우리는 모두 다르잖아. 앞으로는 나를 위해 살고 싶어.

오로라야, 너는 어떤 나무이니?

2023년 7월 21일

집은 자수성가의 상징이고, 내가 열심히 살아온 결과물이라고 생각해. 나이가 들어 자식에게 짐이 되지 않고 내 앞가림은 하며 살고 싶어. 무엇보다 나는 세상의 추위를 피해 쉴 수 있는 따뜻한 본가가 없었지만, 자식에게는 살다가 지치면 올 수 있는 곳을 마련해주고 싶어.

물욕 많은 편입니다만

내 이름으로 된 집 한 채는 갖고 싶은 나에게

내 이름을 된 집 한 채는 갖고 싶어. 내가 유난히 물욕이 많은 걸까? 내가 너무 돈을 밝히는 건가?

고백해 본다.

"저, 물욕 많은 여자입니다."

어느 여행 유투버가 파키스탄의 상위 3%의 삶을 영상으로 보여주었어. 성벽으로 둘러싸인 그들만의 세상, 빈민층의 삶을 보고 싶지 않다면, 평생 안 보고도 지낼 수 있을 만큼 벽은 높았지. 재미있는 건 파키스탄이 세계에서 빈부격차 1, 2위를 다툰다는 점이래. 가난한 자와 부자의 격차가 극심한 나라일수록 부가 권력이 된다는 말이 맞아떨어지는 순간이야.

반면 유럽의 재벌은 본인의 재력을 과시하는 게 아니라 숨기고 감추기 급급하다고 해. 역사적으로 귀족은 부담할 세금이 무거웠기에 그랬을 거로 추측한다고 유투버가 말했어.

이 영상을 보니, 나 되게 찔려.
아무도 몰랐던 속마음을 들킨 것 같아.

나에게 집은 어떤 의미일까? 왜 나는 번듯한 자기 집 하나는 있어야 한다고 여길까?

집은 자수성가의 상징이고, 내가 열심히 살아온 결과물이라고 생각해. 나이가 들어 자식에게 짐이 되지 않고 내 앞가림은 하며 살고 싶어. 무엇보다 나는 세상의 추위를 피해 쉴 수 있는 따뜻한 본가가 없었지만, 자식에게는 살다가 지치면 올 수 있는 곳을 마련해 주고 싶어.

남들은 나의 물욕을 차가운 시선으로 볼 수도 있어. 하지만 나는 괜찮다고 말해주고 싶어

우리 가족의 보금자리니까.

2023년 10월 2일

이제 네 몸이 예전 같지 않다는 것을 알았으면 좋겠어. 네 감정을 뒷주머니에 구겨 넣지 말고 네가 할 수 있는 만큼만 했으면 좋겠어. 네 삶이 혼자만의 것이 아니니까.

속상했던 마음도 날아가는데

가끔은 무모하리만큼 애쓴 나에게

어제 운전을 정말 오래 했잖니?
경기도 고양에서 평택까지 왔다 갔다가 8시간 운전을 했어.

'이게 무슨 일이야….'

말이 안 되는 교통량, 우리나라 교통 체계 시스템이 이 정도 밖에 안되나 싶고, 이 오더를 왜 받았을까? 차가 밀리니 별의별 생각이 다 드네. 이 오더를 준 사람이 싫어지고, 이 오더를 넙죽 받은 내가 더 싫어졌어. 난 항상 이렇구나. 아이는 하염없이 나를 기다릴 텐데. 차가 밀리니까 우리 집은 왜 이렇게 멀까 싶어. 강사를 하려면 수도권에 있어야 하는데, 내가 너무 북쪽에 있나?

일하러 간 사이 학원이 문을 닫을 시간이 되고도 엄마가 오지 않자, 원장님이 아는 학원에 애를 맡겼잖니. 운전하는 내내 원장님한테서 전화가 엄청나게 왔잖니. 차는 막히고 애는 타고. 엘리베이터 문이 열리니까 아이는 처음 간 학원이라 낯설어서인지 자기보다 큰 책가방도 안 내려놓고 신발도 그대로 신고 있더라고. 그 모습 보며 울컥했어. 워킹맘이라 어쩔 수 없다는 걸 알면서도 이건 아니다 싶었어.

3번 동안 계속 강의를 가면서 똑같은 일이 벌어지는데 내가 왜 여기서 고생할까? 원장님께 '우리 집이 고양이라 평택까지 힘들 것 같아요.' 이 말만 하면 되는데, 왜 말을 못 했니. 한번 갔다 오면, 이건 내가 할 수 있는 게 아닌 줄 알잖아. 힘들다는 말도 못 하고 꾸역꾸역 해냈잖니.

오래 운전하다 보니 자고 나서도 오른쪽 다리가 저리고 아예 다리를 잘 못 쓰겠어. 허리까지 저려 와.

다른 것은 지나가. 다른 건 다 휘발되고 속상했던 마음도 날아가는데, 아픈 건 계속 남아. 6년 전만 해도 하루에 거제까지도 다녀왔는데 이제는 못 하겠어.

오로라야, 이제 네 몸이 예전 같지 않다는 것을 알았으면 좋겠어. 네 감정을 뒷주머니에 구겨 넣지 말고 네가 할 수 있는 만큼만 했으면 좋겠어. 네 삶이 혼자만의 것이 아니니까.

2023년 9월 28일

캄캄한 곳에서 얼마나 막막했어. 한 줄기 빛을 찾았으니 놓칠 수가 없었어. 빛이 들어오는 문이 닫힐까 봐 뛰어들었던 거지. 어떤 불모지라도 넌 꽃을 피웠어.

거기 사람 뽑던데 저 써주세요

어디서든 꽃을 피우는 고마운 나에게

어떻게든 살려고 낯선 일에도 겁 없이 뛰어들었어. 코로나 때 뭐 했어? 강사인데 일이 다 끊겼잖아. 코로나19로 인해 교육시장이 꽁꽁 얼어붙었어.

3년 전 교육콘텐츠개발업체에 취업했어. 대면 교육이 사라진 시기라, 온라인 교육 시장이 대세가 되었어. 교육 시장이 다 위기였는데, 이 업체는 예외였지. 온라인교육 개발이 교육시장 흐름을 주도했기 때문이야. 콘텐츠 프로젝트 매니저로 일했고, 코로나19를 모르고 살 정도로 바빴어. 예전에 강의하면서 알게 된 강사님들과의 네트워크와 현장에서 강의하는 강사였기에 교육 담당자의 니즈 파악이 어렵진 않았어. 덕분에 새로운 일이었지만, 해볼 만했어.

이렇게 커리어의 전환점을 가질 수 있었던 건 하려고 마음먹으면 바로 해내는 실행력 덕분이었어. 그때 당시 출강하던 교육업체의 사람인 채용공고를 봤어. 내가 알던 회사였던 거야. 바로 담당 팀장님에게 전화 걸어 "거기 사람 뽑던데 저 써주세요."라고 했지. 당황해하는 팀장님에게 연거푸 나를 어필했어.

"이 회사 어떻게 하면 들어갈 수 있어요?"

지금도 돌이켜 보면 어떻게 이런 선택을 할 수 있었나 싶어. 남들이 보기에는 그저 운이 좋아서라고 볼 수도 있어.

오로라야, 너는 알잖니? 어떻게 하면 더 잘 살지 싶어 밤새 뒤척였던 시기였어. 몇 날 며칠을 잠 못 잤지. 내 삶의 도움이 되는 방향이 뭔지 치열하게 고민했어. 어느 날 뭔가 딱 뇌리를 치는 거야.

대학을 가니 마니 할 때, 대학을 가겠다고 마음먹은 일, 이혼 후 '나 뭐했던 사람이지 싶을 때?' 다시 강의를 시작한 일, 코로나19 때 재취업을 결정한 일, 그때의 선택이 신의 한 수였어.

사실, 이 모든 게 우연은 아니야. 수없이 머릿속으로 다른 방법이 없나 고민했어. 그리고 일단 결단을 내리면 그날 바로 직진했어. 캄캄한 곳에서 얼마나 막막했어. 한 줄기 빛을 찾았으니 놓칠 수가 없었어. 빛이 들어오는 문이 닫힐까 봐 뛰어들었던 거지. 어떤 불모지라도 넌 꽃을 피웠어.

오로라야, 이제는 지나가고 나니 재미있어. 어떻게든 위기를 극복하려고 했던 발버둥이 내 인생을 더 재미있게 만들었어.

2023년 9월 29일

아이한테 예쁜 엄마가 되고 싶어. 일주일은 해보자. 조금씩 늘려보자. 일단 해봐.

일주일만 운동해 볼까

운동할 시간이 없다는 나에게

인생에서 제대로 된 건강검진은 두 번의 산전검진과 산후검진이 전부였어. 아이 때문에 무조건 해야 했거든. 이것 빼고 건강검진을 한 기억에 없네.

왜 시간을 내서 운동을 안 할까? 왜 건강검진 하나 못 받는 거야?

독감 주사 같은 예방주사는 꼭 맞잖니. 눈앞에 겨울이 온 거를 딱 느끼면 바로 주사 맞으러 가잖니. 검진이나 운동 효과는 당장 눈앞에 보이는 게 아니라서 자꾸 미루게 돼. 이러다가 건강을 잃고 혼날 것 같아.

집 앞 건널목 하나만 건너도 큰 공원이 있는데, 안 가져. 24시간 중에 내 시간이 거의 없어. 그러니 운동할 수 없다고. 이게 항상 내 답이었어. 그런데 '운동은 시간이 나서 하는 게 아니라 운동은 시간을 내서 하는 거라잖아.' 이 말을 듣고 '일처럼 운동해야겠다.' 싶었어.

저녁마다 공원 다섯 바퀴를 도는 건 어떨까? 아침에는 운동 못 할 것 같아. 저녁밥 먹고 바로 눕지 말고 일단 집 밖에 나가볼까? 이 글을 쓰면서도 자꾸만 미루고 싶네. 운동 동호회에 들고 싶지 않아. 돈 쓰면서 필라테스 하고 싶지 않아. 내가 운동을 안 하는 이유 99가지를 댈 수 있어.

내가 할 수 있을까?
못하겠는데….
일주일만 해볼까? 일주일이면 해볼 만한데.

둘째가 내 배를 보고 코끼리 배 같다고 했잖아. 그래 맞아. 둘째를 가졌을 때 몸무게와 비슷해졌어. 살짝 충격이었어. 키 작은 아이 눈에 엄마를 올려다보니 그렇게 보였겠다 싶어. 하지만 코끼리는 안 되고 싶어.

아이한테 예쁜 엄마가 되고 싶어.

일주일은 해보자. 조금씩 늘려보자. 일단 해봐.

2023년 9월 30일

세상에 혼자 해결할 수 있는 것은 없어. 가끔 살다가 힘들면 쉬고, 혼자 버티기 힘들면 조언도 구하고 가.

감당할 수 없는 상황에 놓이면, 넌 어떻게 해

일정은 일정대로 소화해야 하는 나에게

평소에 나를 위해 여행을 많이 가. 편히 쉬다 갔다 왔으면 좋겠어. 논밭길을 좋아하잖아. 흙을 밟고 있으면 땅에서 전해오는 엠보싱 느낌이 다 느껴져. 바다도 좋아.

집을 떠나 장소가 바뀌면 생각이 달라져. 집이 아닌 낯선 곳에서 사람 사는 모습이나 사람 손이 많이 닿지 않는 자연을 보고 있으면 마음에 바람이 불어. 나에 대해 하나도 모르는 사람이 건네는 위로가 때로는 큰 힘이 되거든.

'내가 연고지도 없는 고양시까지 와서 왜 이 고생을 하고 있을까?' 도시 생활이 지칠 때 이런 생각이 들어. 이때는 아이들 차에 태우고 그냥 출발해.

어쩜, 도망치는 건 줄도 몰라. 그리고 여행을 갔다가 집에 오면 너무 좋아. 지쳐서 집을 떠났는데 우리 집에 돌아오면 그게 그렇게 좋더라구. 여행을 다녀오면, 지쳐 삐걱거렸던 내가 활기차지더라.

여행을 간다는 건 '리셋'이야. 힘들어서 잠시 멈춘 거야. 출장을 많이 다니니까 한 번쯤 일이 아니라 쉬러 가야지 싶어 눈도장 찍었던 곳이 많아. 여행을 가면 아이들 챙기느라 어른이 힘들어하잖아. 우리 집은 반대야. 아이들보다 내가 여행을 더 좋아하니까 아이들이 '엄마 또 가?' 하면서도 잘 따라와 줘서 기특해.

그런데 여행은 시간이 허용되어야만 가능하잖아. 어디론가 떠날 시간조차 없을 때는 눈앞이 깜깜해져. 일정은 일정대로 소화해야 하니까. 내가 뭘 할 수 있는 게 없다고 느낄 때는 어찌할 바를 모르겠어.

감당할 수 없는 상황에 놓이면, 넌 어떻게 해?
나는 사람들한테 도와달라고 적극적으로 손을 내밀어.

똑같은 질문을 세 사람에게 해보는 거야. 나보다 나이가 많고 어른 같은 사람에게 물어봐. 왜냐하면 이런저런 말을 해도 괜찮다고 느끼거든. 인생 선배님들이니까. 그 사람들 지혜가 어떤 명언보다 좋아. 성심성의껏 듣고 위로해 주는 게 느껴져.

세상에 혼자 해결할 수 있는 것은 없어. 가끔 살다가 힘들면 쉬고, 혼자 버티기 힘들면 조언도 구하고 가. 오로라, 지금껏 내가 잘 해낸 것처럼.

2023년 10월 1일

에필로그

도레미에게

어느새 12주라는 시간이 흘렀네. 3달 동안 금요일 저녁 한 번도 빠짐 없이 글을 쓸 수 있었던 이유는 함께 글을 쓰는 작가님들이 있어서였어. 불금이라고 하지. 불타는 금요일을 술 마시며 보낸 것이 아니라 글 쓰며 보내서 그런지 더 뿌듯한 마음이 들어.

'처음에 12편을 다 쓸 수 있을까?'라는 걱정도 있었지만 응원해 주고 공감해 주는 친구 같은 존재가 있어 끝까지 완성할 수 있었어. 다 끝내고 나니 시원섭섭하기도 해. 해내서 시원한 마음 반, 매주 보던 얼굴과 대화 나누는 시간도 나에게 편지를 쓰는 시간도 참 좋았는데 이제 못 보니 아쉽기도 하고.

힘들고 아픈 일도 있었어. 그래도 글을 포기할 수 없었어. 매주 글을 쓰며 위로 받았거든. 나에게 해주고 싶은 말을 선물 받은 느낌이랄까? 다시 일어날 힘도 얻고 내 상태도 확인할 수 있었어. 생각만 하는 거랑 직접 글을 쓰는 작업은 아주 다르더라. 쓰면서 알아차린 것도 많고 새로운 결심도 했어.

글이 모여 책으로 완성되면 독자가 어떻게 해석할지 너무나 궁금해. 나도 읽을 때마다 다른 느낌을 받았어. 누군가를 기다리는 두근거림을 느껴보고 싶어.

설렘도 찾아왔어. 앞으로 나를 어디로 또 데려다줄까? 어떤 길이 또 기다리고 있을지 기대 되네. 차곡차곡 쌓아온 글이 독자와 함께 새로운 문을 열어줄 거라 믿어.

메이에게

자신에게 편지를 쓰는 일은 내가 나에게 말을 거는 가장 다정한 방법이라고 생각해. 글을 쓰면서 다양한 내 모습을 마주하는 일은 그 자체만으로 울림과 감동을 주었어.

무엇보다 글을 쓰면서 자신과 속 깊은 이야기를 나누어 보고 싶었어. 나를 잘 돌보고 있는지, 더 관심과 애정이 필요한 일은 무엇인지도 궁금했거든. 지나온 삶을 돌아보며 나만의 경험을 정리할 기회가 되었어. 삶의 다양한 장면을 떠올리며 쓴 글은 나를 웃게 하기도 했고, 생각에 잠기게 만들거나 펑펑 울게 만들기도 했지. 이 편지들이 가장 나다운 모습으로 살아가려는 나에게 크고 작은 힘이 되어 주었으면 좋겠다.

글이 잘 써지는 날도 있었지만, 그렇지 않은 날도 많았지. 나에게 쓰는 편지인데도 이런 말까지 해도 될까 싶었던 순간이 스쳐 지나가네. 그런 생각이 들수록 스스로에게 좀 더 집중하려고 했던 것 같아. 메이야, 편지를 쓰며 너와 한결 가까워진 것 같은 느낌인데 어떠니?

언젠가 마음의 목소리를 들었을 때가 떠올라. 딸이 환한 웃음을 지으며 네게 달려와 안길 때 엄마로서 가장 큰 행복을 느낀다고. 그 무엇이 되려 하지 않아도 네 존재만으로 온전히 사랑받는다는 걸. 편지를 쓰면서 무엇보다 자신에게 주는 사랑은 그런 조건 없는 모습이어야 한다고 생각이 들었어. 이제 좀 더 나를 사랑하는 방법을 알게 된 것 같아.

글을 쓰며 자신과 더 가까이 지내려고 노력했던 2023년의 여름, 정말 의미 있는 선물 같은 시간이었어. 앞으로 두고두고 소중한 추억으로 남을 거야. 끝까지 해낸 메이야, 고마워.

비추리에게

글쓰기는 마음을 비추는 손전등 같아. 그걸 알게 된 건 내 이름 석 자보다 아내이자 엄마의 모습으로 살던 시절이었어. 그땐 모든 게 낯설고 서툰 것 투성이였잖아. 스물넷 결혼을 하고 스물여섯 엄마가 되었으니 말이야.

캄캄한 밤바다에서 방향을 잃고 표류하는 마음이 들 때면 식구들이 잠든 밤 노트를 꺼내 눈물 콧물과 함께 켜켜이 쌓인 마음을 쏟아 놓고 나면 도통 모르겠던 마음이 보이고, 내가 어디로 가고 싶은지 알 것 같았어. 답답했던 마음에 시원한 바람이 불어오는 느낌이였지. 지금 생각해 보면 그게 나를 자라게 하고 단단하게 만들어 준 시간이 되어 시간이 된 것 같아.

올해 마흔이 되면서 무슨 바람이 불었을까? 나로 살기로 마음을 먹었어. '지금과는 다른 삶을 살아보자. 가족을 위하는 일만 말고, 내가 진짜 하고 싶은 일을 해보자.' 고이 접어 두었던 일을 시작하면서 나와 마주하는 시간을 갖기 위해 편지를 쓰게 되었어.

지금까지 내가 살아온 발자취를 돌아보며, 또 다른 나를 만나는 기쁨을 느꼈어. 새로운 계절이 찾아와 장롱 속 옷을 꺼내 계절 지난 옷은 정리하고 다가오는 계절에 맞는 옷을 차곡차곡 정리하는 기분이었어. 지금까지 애쓰며 살아온 너를 더 사랑해 주어야지 온전히 나와 마주하는 좋은 시간이 되었어.

지난 날을 꼭꼭 곱씹으며 울고 웃었던 2023년 여름날 기록들이 열매로 맺게 되게 되어 기뻐. 끝이 아닌 또 다른 너의 시작을 축하해. 나의 이야기가 누군가에게 용기가 되고 위로가 되기를 바라며 편지를 마칠께 비추리.

새벽별에게

요즘 들어서 나를 잃어간다는 느낌을 많이 받았어. 일은 많이 했지만 '일 하는 나'만 있지 '행복한 삶을 꾸리는 나'는 없더라고.

'이렇게 살아도 되는 걸까? 나한테 제일 중요한 건 뭘까?' 고민할 때 월간편지를 소개받았어. 나를 돌보고 행복한 삶을 꾸려나갈 기회라는 기대감과 설레는 마음이 들더라. 편지쓰기를 통해 나를 돌보는 시간을 가졌어.

'나'를 돌보고 아껴주는 시간을 충분히 주며 잘해 내가고 있다고 나를 토닥이고 응원하는 시간이었지. 이 책을 통해 내가 나를 위해 시간을 충분히 주었음을 추억하고 싶어.

내가 원하는 것을 알아가는 시간이었어. 꽃길만 걷고 싶었지만 세상일이 마음대로 흘러가는 건 아니잖아. 그래서 흔들리면서도 내 중심을 잘 잡고 싶었어. 나와 같은 고민을 하는 누군가에게 위로가 되었으면 해. 네가 행복했던 봄날이 또 오리라 믿어.

시작에게

오래된 버킷 리스트 중 하나가 글을 쓰고, 책을 내는 것이다. 하지만 마음만 있고, 막상 내 마음을 글로 옮기는 것이 부끄럽기도 하고, 시간이 없다는 핑계로 글쓰기는 미루게 되었다. 그런 글쓰기를 나에게 보내는 편지로 시작하게 되었다.

열두 통의 편지를 쓰며 나에 대해 돌아보는 시간을 가지게 되었다. 그동안 지난 시간 후회를 참 많이 했다. 그 후회와 자책의 말들도 편지에 고스란히 쓰며, 내 마음을 돌아보았다.

그 후회로 가득했던 시간 속에는 나의 노력과 애씀이 깃들어 있음을 알게 되었다. 그리고 그렇게 애써준 나 자신이 고맙기도 하고, 완벽하지 않아도 노력하는 마음으로 살아가는 것이 인생이라는 생각이 들었다. 내가 정한 기준의 완벽이라는 허상에 더 이상 자책하지 말아야겠다고 마음 먹었다.

그러자 지나온 인생을, 그리고 앞으로의 인생을 좀 더 사랑할 수 있게 되었다.

모두 각자의 걱정이 있고, 힘듦이 있다고 생각한다.

이 편지가 나와 같은 생각을 하는 단 한 명의 누군가에게 잠시나마 위안이 된다면 더 바랄 나위가 없을 것 같다.

오로라에게

나에 대해 되돌아보고 고민한 적은 많았지만, 이렇게 글을 써내려간 적은 없었어. 훗날 '내 이름으로 책 한 권 출간하고 싶다.'라며 막연함이 현실로 다가오는 것 같아 설렜는데 그 과정이 쉽진 않았어.

나와 함께 너무 고생하셨던 '닐자'님께 꼭 먼저 마음 전하고 싶어. 미안하고 고마웠다고.

글 쓰는 게 쉽지 않았어. 생각보다 에너지가 많았어. 나를 객관화해서 보는 게 고통스러웠어. 나를 꾸미지 않고 민낯으로 보였을 때 독자들이 어떻게 볼지 신경이 쓰였어. 그래도 혼자 쓰는 게 아니라 6명이 같이 하는 작업이라 나만 하는 고민이 아니구나! 느꼈어. 사람 사는 거 다 비슷하더라.

서른여섯이 되고 두 아이의 엄마가 돼서 글쓰기를 한 게 아쉬워.

조금만 더 일찍 이런 작업을 했더라면 지금과 다른 모습이지 않았을까? 나를 돌아보고 내 마음을 읽어가는 과정이 얼마나 중요한지 알았어.

스스로 끊임없는 질문을 했음에도 답이 안 나올 때 너도 글을 써 봐.

오로라야, 삶은 원래 고단해. 그런 것 같아. 다양한 파도 앞에서 어떻게 해야 할지 나도 몰라. 지금 상황에 최선을 다할 뿐이야. 불혹이 되면 철이 든다는데, 마흔이 되면 난 어떤 어른이 될까

나의 마음이 비추는 시간

나에게 보내는 초대 편지

발 행 | 2024년 1월 15일
저 자 | 도경연, 황민아, 박지영, 이은혜, 이승현, 오주현
기 획 | 김재림
펴낸이 | 한건희
펴낸곳 | 주식회사 부크크
출판사등록 | 2014.07.15(제2014-16호)
주 소 | 서울특별시 금천구 가산디지털1로 119 SK트윈타워 A동 305호
전 화 | 1670-8316
이메일 | info@bookk.co.kr

ISBN | 979-11-410-6634-5
www.bookk.co.kr